JOE CRAIG

J.C.

AGENT ZWISCHEN DEN FRONTEN

JOE CRAIG

AGENT ZWISCHEN DEN FRONTEN

Aus dem Englischen von
Alexander Wagner

Sollte diese Publikation Links auf Webseiten Dritter enthalten,
so übernehmen wir für deren Inhalte keine Haftung,
da wir uns diese nicht zu eigen machen, sondern lediglich auf
deren Stand zum Zeitpunkt der Erstveröffentlichung verweisen.

 Dieses Buch ist auch als E-Book erhältlich.

Verlagsgruppe Random House FSC® N001967

1. Auflage 2019

cbj Kinder- und Jugendbuchverlag
in der Verlagsgruppe Random House GmbH,
Neumarkter Str. 28, 81673 München

Die englische Originalausgabe erschien 2009 unter dem Titel:
»Jimmy Coates – Power« bei HarperCollins Children's Books,
einem Imprint der Verlagsgruppe HarperCollins Ltd, London
Übersetzung: Alexander Wagner
Umschlagkonzeption: Isabelle Hirtz, Inkcraft
unter Verwendung der Motive von
© Shutterstock (Syda Productions; Arten Kniaz; Trass)
MP · Herstellung: RW
Satz: KompetenzCenter, Mönchengladbach
Druck: CPI Books GmbH, Leck
ISBN 978-3-570-16544-7
Printed in Germany

www.cbj-verlag.de

KAPITEL 1

»Hier ist Jimmy Coates …«

Der Junge zögerte kurz und starrte in die winzige Kamera am oberen Rand des Computermonitors. »Ich wollte sagen, ich bin Jimmy Coates.« Seine Stimme zitterte ein bisschen, aber das spielte jetzt keine Rolle. Er musste diese Botschaft rüberbringen und seine Geschichte erzählen. Die Menschen mussten endlich die Wahrheit erfahren.

»Es klingt vielleicht verrückt –« Jimmy unterbrach sich mitten im Satz, als er hinter sich ein Geräusch hörte. Er blickte sich um. Das orangefarbene Licht der Straßenlaterne, gefiltert durch die Jalousie und die Regentropfen auf der Fensterscheibe, warf düstere Schatten auf den Boden des kleinen Büros im ersten Stock. Aber sonst konnte Jimmy nichts Ungewöhnliches entdecken.

Er spähte hinauf zu dem Infrarotdetektor an der Zimmerdecke. Die Anlage würde ihn nicht warnen. Erst vor wenigen Minuten hatte er das Alarmsystem des Büros selbst ausgeschaltet, damit sein Eindringen nicht bemerkt wurde. Allerdings hätte ein zufälliger Passant den bläulichen Schimmer des Monitors im Büro wahrnehmen können. Und wenn so jemand genauer nachgeforscht hätte und Jimmys provisorische neue Verdrahtung des Sicherheitssystems an der Eingangstür entdeckt, hätte er mit Sicherheit die Polizei verständigt. So spät in der Nacht hielt sich üblicherweise niemand mehr in den Redaktionsräumen der *Hailsham Gazette* auf.

»Ich weiß, ich wirke wie ein ganz normaler Junge«, fuhr Jimmy fort und versuchte ruhig zu atmen. »Ich bin dreizehn. Aber …« Erneut hielt er inne. Es fiel ihm schwer, seine Gedanken zu formulieren. Am liebsten hätte er laut herausgebrüllt: *Ich bin ein perfekter Agent und Killer. Sie haben mich dazu gemacht. Sie haben meine DNA in einem Reagenzglas erschaffen …*

Gleichzeitig war ihm klar, dass bestimmte Teile der Wahrheit besser ungesagt blieben. Niemand würde ihm glauben, und selbst wenn, würde das die Menschen eher in Panik versetzen, als sie zum Zuhören zu bewegen.

Jimmy konzentrierte sich und richtete die Webcam neu ein, damit sein Gesicht auf dem Monitor scharf zu sehen war. Er fand es merkwürdig, sich selbst so zu betrachten. Seine Gesichtszüge wirkten irgendwie fremd. Seine Wangen wirkten eingefallen und seine Augen waren matt.

Doch vor ihm auf dem Schreibtisch lag etwas, dass ihm Kraft und Entschlossenheit gab. Es war die aktuelle Ausgabe der *Gazette*. Auf der Titelseite prangte die Schlagzeile:

NACH FRANZÖSISCHER ATTACKE
AUF UNSERE ÖLBOHRINSEL
DROHT GROSSBRITANNIEN
MIT VERGELTUNGSSCHLAG

»Die Regierung lügt«, setzte Jimmy seine Rede fort. »Die Franzosen haben die Ölbohrinsel gar nicht angegriffen. Die britische Regierung behauptet das nur, und sie kontrolliert die Zeitungen, das Fernsehen und das Internet …« Aufgebracht knüllte Jimmy die *Gazette* zusammen.

»Aber jetzt sollen Sie die Wahrheit erfahren. *Ich* habe die Ölbohrinsel in die Luft gesprengt – aus Versehen.« Die Worte sprudelten jetzt nur so aus Jimmy heraus. »Jeder soll das wissen. Die Öffentlichkeit muss erfahren, dass die Gründe der Regierung für einen Krieg auf Lügen beruhen. Menschen werden für nichts und wieder nichts sterben.«

Jimmy holte tief Luft. Es gab noch so viel mehr zu sagen, doch plötzlich bemerkte er eine Spiegelung im Monitor – ein blaues Flackern. Die Polizei war im Anrücken. Er war schon zu lange hier.

»Verbreiten Sie diese Botschaft«, sagte Jimmy drängend in die Webcam. »Und protestieren Sie auf alle möglichen Arten. Ich weiß, Sie dürfen nicht wählen, aber …« Erneut schweiften seine Gedanken ab. Die Regierung hatte schon vor Jahren freie Wahlen abgeschafft und die sogenannte Neodemokratie eingeführt. Jimmy fragte sich, welche Arten von Protest überhaupt möglich sein würden. Das Geheul einer Sirene unterbrach seine Gedanken.

»Verbreiten Sie einfach diese Botschaft«, wiederholte Jimmy flehend. »Erzählen Sie es allen weiter.«

Er schaltete die Webcam aus. Es kostete ihn weniger als eine Minute, um seinen Clip auf so vielen Websites wie möglich zu posten. Natürlich würden die Zensoren der Regierung das Video sofort entfernen. Möglicherweise würden sie sogar die Webseiten komplett schließen. Er konnte nur hoffen, dass es vorher genügend Menschen sehen und auf anderen Seiten teilen würden.

Als Nächstes rief Jimmy die Software der Zeitung auf und gestaltete rasch eine neue Schlagzeile für die *Gazette*:

**FRANZOSEN HABEN NICHT ANGEGRIFFEN.
KEIN GRUND FÜR EINEN KRIEG MIT FRANKREICH.
DIE REGIERUNG LÜGT.**

Natürlich würde die Zeitung niemals wagen, etwas Derartiges zu veröffentlichen, aber vielleicht ließ sich der ein oder andere Journalist ja dazu bewegen, seine Botschaft auf anderem Wege zu verbreiten.

Das Sirenengeheul wurde immer lauter und das ganze Büro war jetzt von blauem, rotierendem Licht erfüllt. Jimmy sprang auf, schnappte sich die halb zerknüllte Zeitung und flitzte zur Tür. Sein Gehirn berechnete die Sekunden bis zum Eintreffen der Polizei. Jeder einzelne Muskel drängte ihn, sich in Sicherheit zu bringen, aber obwohl seine Hand bereits auf dem Türgriff lag, hielt ihn ein Gedanke zurück: Möglicherweise fände er in der Zeitungsredaktion Informationen über den Verbleib seiner Familie. Vielleicht konnte er sie sogar aufspüren und sich dann gemeinsam mit ihnen ein neues Leben aufbauen. Ein normales Leben.

Jimmy spürte die leichten Vibrationen im Fußboden. Jemand war in das Gebäude eingedrungen. Die Muskeln seiner Oberschenkel machten sich zur Flucht bereit. *Bleib*, forderte ihn eine innere Stimme auf. In Jimmys Innerstem kämpften zwei Anteile seiner Persönlichkeit gegeneinander. Und nur einer davon war menschlich.

38 Prozent von Jimmys DNA-Bestandteilen waren identisch mit denen aller übrigen Menschen auf dieser Welt. Doch die anderen 72 Prozent bestanden aus etwas völlig Neuem. Er war der Prototyp eines organisch konstruierten Agenten. Kein Roboter und keine Maschine, sondern etwas noch viel Gefährlicheres. Ein im Labor erschaffenes Wesen, das im Auftrag der britischen Regierung handeln und töten sollte. Jimmys Zukunft war in seine Zellen eingeschrieben. Doch sein menschlicher Anteil wehrte sich beharrlich gegen diese vorherbestimmte Zukunft. Das hatte ihn von der gefährlichsten Waffe der Regierung zu ihrem meistgesuchten Feind werden lassen.

Doch die Agenten-Instinkte in Jimmy wurden mit jedem Tag stärker. Eigentlich war er so konditioniert, dass erst mit achtzehn Jahren seine menschliche Seite komplett von seiner Agenten-DNA kontrolliert würde.

Doch extreme Gefahren hatten seine Entwicklung beschleunigt. Jimmy hatte keine Ahnung, wann genau der Killer in ihm die vollständige Kontrolle übernehmen würde. Doch eines wusste er mit Sicherheit: Ihm blieb nicht mehr viel Zeit.

Er spürte diese innere Zerrissenheit in jedem Moment seines Lebens. Aber jetzt empfand er sie so schmerzhaft wie nie zuvor. Der Agent in ihm kommandierte seinen Körper, als wäre er auf einer Mission. *Flucht. Überleben.* Und verstandesmäßig wusste Jimmy, dass er diesen Instinkten vertrauen konnte. Gleichzeitig sah er die Gesichter seiner Mutter Helen, seiner Schwester Georgie und seines besten Freundes Felix vor sich. Waren sie immer noch zusammen? Lebten sie noch? Am liebsten hätte er dieses Büro auf den Kopf gestellt und jede Notiz, jeden Artikel und jede Reportage gesichtet. Irgendjemand muss doch Nachricht haben, was mit ihnen geschehen war.

BOOM!

Er hatte zu lange gezögert. Die Tür flog auf. Das Holz krachte gegen Jimmys Schulter und der Türgriff bohrte sich in seine Rippen. Bevor er reagieren konnte, stürmte eine riesige Gestalt in den Raum. Eine weitere folgte – zwei Polizisten, die durch ihre *Hawk-801*-Panzerwesten noch mächtiger wirkten. Jimmy wurde zu Boden geschleudert, doch seine außergewöhnlichen Energien hatten sich bereits aktiviert und pumpten durch seinen Körper.

Seine Finger hatten sich um den Türgriff gekrallt, und

während er fiel, hieb er den Absatz mit aller Kraft gegen das untere Türscharnier. Splitternd löste sich die Tür aus dem Rahmen. Und bevor die beiden Polizisten auch nur den Kopf drehen konnten, hatte Jimmy sein Gleichgewicht wiedergefunden und wirbelte das Türblatt herum. Es krachte gegen den ersten Polizisten und traf den zweiten frontal, sodass auch er zu Boden ging.

Über ihr Stöhnen hinweg hörte Jimmy zwei Geräusche. Das erste war das Knistern eines Polizeifunkgerätes. Verstärkung nahte. Das zweite war das Klicken einer Pistole – eine *Sig Sauer P229*.

Jimmy hatte keine Lust herauszufinden, ob sie wirklich auf einen Jungen schießen würden. Vielleicht hatten sie ihren Angreifer nicht einmal richtig gesehen – so schnell, wie er sich bewegt hatte. Also rannte Jimmy stattdessen zur Eingangstüre. Wenn jetzt erst Verstärkung unterwegs war, dann hatten sie möglicherweise noch niemanden im Korridor oder vor dem Gebäude postiert.

Dann krachte ein Schuss. Doch für Jimmy kam er nicht überraschend. All seine menschlichen Gefühle hatten sich jetzt tief in sein Inneres zurückgezogen und er wurde nur noch von seinen Agenteninstinkten gesteuert. Der Schuss klang geradezu lächerlich im Vergleich zu dem, was Jimmy bereits in seinem Bewusstsein vorweggenommen hatte. Und seine besonderen Fähigkeiten hatten wieder einmal sein Leben gerettet.

Jimmy hatte das lose Türblatt blitzschnell hinter seinen Rücken geschwungen und hielt es nun dort wie einen Schild. Die Kugel bohrte sich mit einem dumpfen Schlag in das Holz. Ein weiterer Schuss folgte, doch da hatte Jimmy die Tür bereits fallen gelassen und war verschwunden.

Seine Arme und Beine pumpten mit ungeheurer Kraft und Geschwindigkeit, trotzdem blieb Jimmy völlig ruhig. Seine Nerven waren nun gewappnet gegen jede Angst und gleichzeitig im höchsten Wachsamkeitsmodus. Er preschte aus dem Gebäude und fühlte sich fast, als würde er fliegen. Die Regentropfen auf seinem Gesicht erfrischten ihn. Die Polizeisirenen klangen mittlerweile wie Jagdhörner, die ihn vorwärtstrieben.

Jimmy wusste genau, wohin er lief. Hailsham war ein kleiner Ort und er hatte sich das Straßennetz mit Leichtigkeit eingeprägt. Mehr als das, seine Beine trugen ihn fast automatisch auf eine vorbestimmte Fluchtroute. Seine Agenteninstinkte hatten den Weg im Vorfeld exakt abgespeichert.

Er bog von der Hauptstraße ab und rannte durch die Stille der Nacht, ein heißer Blitz im kühlen Regen. Seine Schritte hallten lauter, jetzt, wo das Geheul der Sirenen zurückblieb. Jimmys Weg führte kreuz und quer durch das Wohnviertel mit seinen endlosen Reihen identischer Häuser, dann durch ein Industriegebiet und schließlich sprang er mit einem einzigen gewaltigen Satz über ein Eisengitter.

Jenseits des Gitters herrschte Dunkelheit, aber Jimmy wusste genau, wo er sich befand. Er war wieder auf dem Sportplatz der *All Saints*-Schule, wo er früher an diesem Abend gelandet war. Trotz des schlammigen Bodens verlangsamte sich sein Tempo kaum. Innerhalb von Sekunden hatte er die beiden Fußballfelder überquert und kletterte in das Cockpit des *Tiger Hellfire IV*-Helikopters, den er genau an dieser Stelle zurückgelassen hatte.

Jimmy atmete schwer, doch mit der kalten Luft schien er zugleich frische Energie aufzusaugen. Und noch bevor er seinen Helm richtig festgeschnallt hatte, huschten seine Hände bereits über das Steuerpult, und der Helikopter erhob sich mehrere Meter. Vorsichtig wendete er die Maschine, während er gleichzeitig in seine Tasche griff und die zerknüllte Zeitung herauszog. Es gab etwas, das er jetzt unbedingt erledigen musste: Er brauchte einen Arzt.

Für einen Augenblick starrte Jimmy gebannt auf seine Fingerspitzen. Dort machten sich unter seinen Nägeln und der Haut tiefblaue Flecken breit. Sie schienen im schwachen Licht des Cockpit-Displays zu leuchten. Bei dem Anblick wurde Jimmy ganz übel. Es war bisher der einzig sichtbare Schaden, den sein letzter und gefährlichster Einsatz hinterlassen hatte. Er war, mit der Polizei auf seinen Fersen, vom britischen Geheimdienst gejagt worden. Beständig hatte er gegen die bedrohlichen Killerinstinkte in sich ankämpfen müssen, die sein menschliches Bewusstsein Stück für Stück verdrängten. Aber als ob das alles nicht schon genug gewesen wäre, war er dabei auch noch radioaktiv verstrahlt worden.

Der französische Geheimdienst hatte ihn hereingelegt und ihn auf eine Mission geschickt, bei der er massiver radioaktiver Strahlung durch Uran und Actinium ausgesetzt worden war. Ein normaler menschlicher Körper wäre inzwischen längst zerstört, da war Jimmy sich sicher. Er hatte keine Ahnung, wie sich die Strahlung bei jemandem wie ihm auswirken würde. Dennoch musste er so bald wie möglich einen Arzt aufsuchen. Hastig blätterte er mit einer Hand die Zeitung durch. Seine Augen scannten den Text mit dem Tempo eines Computers und jede rasch überflogene Seite warf er hinaus in die Nacht. Schließlich stieß er auf ein Verzeichnis von Ärzten und Kliniken.

Inzwischen schwebte der Helikopter auf der Höhe der Hausdächer rund um den Sportplatz. Wohin sollte er sich wenden? Er studierte die winzigen Adressen, wobei seine Nachtsichtfähigkeit das wenige, verfügbare Licht verstärkte.

Es würde schwierig werden, einen geeigneten Arzt zu finden. Immerhin war Jimmy ein gesuchter Staatsfeind, und jeder, der ihm half, würde irgendwann aufgespürt und bestraft werden. Dennoch gab es in diesem Land auch Menschen, die sich dem System der Neodemokratie widersetzten. Jimmy musste also einen Arzt finden, der nicht nur seine radioaktive Verstrahlung behandeln konnte, sondern auch bereit war, sich gegen die Regierung zu stellen.

Ein Gedanke durchzuckte ihn. *Wenn der Arzt zu viel Angst hat, dann wende einfach Gewalt an.*

Bei diesem brutalen Gedanken krampfte sich Jimmys Herz zusammen. Die dunkle Macht in seinem Inneren wuchs, und sie erschreckte ihn, obwohl sie in diesem Falle sicher recht hatte. Möglicherweise musste er mit Gewalt drohen, um einen Arzt zu Hilfeleistungen zu bewegen.

Er zerknüllte die letzte Seite der *Hailsham Gazette* und schleuderte sie aus dem Cockpit. Es gab nur einen Ort, an dem Jimmy ein Krankenhaus mit dem nötigen Equipment und einem hoch qualifizierten Arzt finden konnte. Jimmy ließ seine Finger über die Kontrollinstrumente des Helikopters gleiten und gleich darauf schoss er durch den Nachthimmel in Richtung London. Innerhalb von Sekunden hatte er Hailsham hinter sich gelassen und knatterte über offenes Land.

Plötzlich hörte Jimmy ein Geräusch. Ein entferntes Dröhnen. Seine Augen richteten sich auf den Horizont. Zuerst sah er nur die dunklen Wolken gegen den Nachthimmel. Doch dann bemerkte er das Aufblitzen eines Lichts. Und gleich daneben ein weiteres. Die Lichter verschwanden für einen Augenblick hinter einer Wolke, dann tauchten sie umso heller wieder auf. *Nicht heller*, dachte Jimmy. *Näher*.

Und erst jetzt bestätigte das Vier-Kanal-Doppler-Radarsystem des Helikopters Jimmys Wahrnehmung. *Zwei Flugzeuge*. Die Polizei hatte in kürzester Zeit herausgefunden, wer der Einbrecher in der Zeitungsredaktion gewesen war, und der britische Geheimdienst überwachte ständig deren Kommunikation. Jimmy war fast überrascht, dass sie so lange gebraucht hatten, ihm die Royal Air Force auf den Hals zu hetzen.

Für einen kurzen Moment stieg Panik in ihm auf, doch seine Konditionierung unterdrückte sie sofort. *Weiter*, hörte er in seinem Kopf. *Schneller*. Doch der Helikopter war nicht schnell genug. Die beiden Flugzeuge näherten sich dröhnend durch die Wolken. Er war ihnen hilflos ausgeliefert. Ein einziger gezielter Schuss würde ihn vernichten.

Mit dem Zeigefinger schnipste er die Lichter des Helikopters aus. Die Nomex-Wabenkern-Konstruktion und die Kevlar-Beschichtung würden den Helikopter im günstigsten Fall für Radarsysteme unsichtbar machen. Wenn Jimmy ohne Licht und tief genug flog, könnte er den Präzisionslenksystemen der Bordraketen entkommen. Jetzt mussten sich die Piloten auf ihre Sicht verlassen und das gab Jimmy eine Chance.

Das Display auf dem Steuerpult leuchtete immer noch, ebenso wie die zahlreichen LED-Anzeigen und Schalter. Selbst das war noch zu hell. Jimmy wollte den Piloten der beiden Kampfjets nicht das kleinste Ziel bieten. Seine Hände huschten über das Kontrollpult und überlisteten den Bordcomputer, sämtliche Beleuchtungssysteme herunterzufahren.

Jimmys Sinne waren hellwach. Beim leichtesten Luftstrom stellten sich die Haare an seinen Unterarmen auf. Sein Blick erfasste hundert Details zugleich, erahnte die ideale Flugbahn in Sekundenbruchteilen, was ihm vorausschauende Flugmanöver ermöglichte.

Er spürte, wie sich die Agenteninstinkte seiner Muskeln bemächtigten, sie ruhig und präzise agieren ließen. Die Kraft des *Tiger Hellfire*-Helikopters vibrierte in seinem ganzen Körper. Es war, als stünde sein Organismus in direkter Verbindung zu den 1200-kW-Wellenleistungstriebwerken. Noch bevor er es bewusst wahrnahm, setzte sich jeder seiner Gedanken sofort in eine Kurskorrektur um.

Jimmy überquerte eine Autobahn, und der Helikopter flog jetzt so tief, dass die Landekufen knapp über die Autodächer hinwegzischten. Routiniert manövrierte Jimmy die Maschine zwischen zwei riesigen Lastwagen hindurch. Er spürte nach wie vor die Präsenz der beiden Jets über sich, wie Adler, die darauf lauerten, sich auf eine Wühlmaus zu stürzen.

Trotz der Dunkelheit sah Jimmy, wie unter ihm auf den Feldern Tiere davonstoben. Er tauchte unter Stromleitungen hindurch, sauste knapp über Zäune hinweg und direkt an den Eingangstüren von Bauernhöfen vorbei. Die Motoren des Helikopters heulten wütend, weil Jimmy immer neue Höchstleistungen aus ihnen herauskitzelte.

Die Kampfjets über ihm hielten mit. Ihre Suchscheinwerfer tanzten über die Felder, manchmal erwischten sie Jimmy, aber nur für Bruchteile einer Sekunde. Jimmy machte ihnen das Feuern unmöglich, auch wenn er ihnen nicht entkommen konnte. *Doch das reicht nicht*, dachte er. Selbst wenn er es nach London schaffte, würde er dort niemals landen können.

Dann wurde ihm schlagartig klar, dass der *NJ7* gar nicht vorhatte, ihn in die Stadt gelangen zu lassen.

Vor ihm am Horizont tauchte über ein Dutzend schwarzer Schemen auf. *Ein Geschwader supermoderner Kampfhubschrauber.* Sie schwebten bewegungslos wenige Meter über dem Erdboden. Und dann, wie auf ein Zeichen hin, blendeten ihre Scheinwerfer auf. Jimmy blinzelte gegen den grellen Lichtschein an und Schweiß trat auf seine Stirn.

Der *NJ7* konnte vermutlich jeden einzelnen Tropfen sehen.

KAPITEL 2

Jimmy konnte sich nirgendwo verbergen. Am liebsten hätte er sich zusammengekrümmt und den Kopf mit den Armen geschützt, um sich auf die Raketeneinschläge vorzubereiten, doch sein Körper ließ es nicht zu. Sein innerer Agent hatte einen neuen Ausweg entdeckt, dank der Scheinwerfer der feindlichen Hubschrauber. Sie beleuchteten Eisenbahngleise, die genau zwischen ihnen und Jimmy verliefen. Auf ihnen näherte sich von rechts, so langsam wie eine heranmarschierende Kolonne auf dem Schlachtfeld, ein Zug.

Anstatt den Helikopter zu wenden oder das Tempo zu drosseln, donnerte Jimmy weiter. Ebenso wie das Rudel Kampfhubschrauber. Sie waren auf der Jagd, konstruiert, eine Mission in tödlicher Effizienz auszuführen – mit einer Fehlerquote von null Prozent.

Doch Jimmy stand ihnen darin in nichts nach. Er fixierte den Zug. Seine Muskeln lockerten sich, obwohl sie sich eigentlich hätten anspannen müssen. Es schien, als wäre irgendeine Chemikalie in sein System injiziert worden, um seine Glieder geschmeidiger zu machen und ihm mehr Kontrolle zu verleihen. Doch in Wahrheit kam alles aus seinem eigenen Inneren.

Schneller als die Kampfhubschrauber näherte er sich den Gleisen. Die Jets über ihm feuerten zwei Raketen ab, doch Jimmy hatte sein Ausweichmanöver bereits gestartet. Es erfolgte so rasant, dass er nicht einmal Zeit hatte, einen Einschlag zu befürchten. Die Detonationen erschütterten die Kabine, doch es war nur der Ackerboden hinter ihm, der in einem Flammenball explodierte.

Endlich erreichte Jimmy die Gleise. Das kleine Ausweichmanöver erwies sich jetzt als Vorteil. Es hatte dem Zug Zeit gegeben, sich weiter zu nähern. Jimmy drosselte sein Tempo und flog nun direkt neben dem Zug. Erneut brachte er den Hubschrauber so tief wie möglich und surrte haarscharf an Strommasten, Kabeln und Signalanlagen vorbei, immer im Schutz des letzten Waggons.

Die Staffel der *NJ7*-Helikopter dröhnte erst über ihn hinweg, dann wendeten sie, um ihm zu folgen. Jimmy musste unwillkürlich lächeln. Etwas in ihm genoss die Gefahr, das rasante Tempo, und stachelte ihn zu weiteren Höchstleistungen an.

Jimmy schaltete sein Display wieder ein. Die Lichter der Steuerkonsole konnten ihn nun nicht mehr verraten, und er wollte seine Verfolger über Radar im Blick behalten. Was er sah, überraschte ihn. *Sie zogen sich zurück*. Erst als Jimmy aufblickte, wurde ihm klar, warum. Nur ein paar Hundert Meter weiter führten die Gleise in einen Tunnel. *Jimmy schoss direkt auf eine Hügelflanke zu.*

Reiß die Maschine hoch, schrie es in ihm. Doch sein

Körper fegte die Angst beiseite. *Bitte*, flehte er und kämpfte gegen seine eigenen Instinkte an. Doch sein Körper reagierte nicht. Er näherte sich weiter mit rasender Geschwindigkeit dem Hügel. *Ist das etwa Teil meiner Konditionierung?*, fragte er sich. Vielleicht war er ja darauf programmiert, sich selbst zu zerstören, um eine Gefangennahme zu vermeiden.

Die Welt um ihn herum schien sich in Zeitlupe zu bewegen. Jeder Erdklumpen auf dem Hügel wurde durch das Flutlicht hinter ihm in scharfem Relief hervorgehoben. Der Schatten seines eigenen Helikopters wurde immer größer und größer. Er saß in der Falle. Über ihm und rings um ihn befand sich ein Netz aus Kampfmaschinen, die vom *NJ7* kontrolliert wurden. Vor ihm erhob sich ein massiver Hügel, ohne jedes Schlupfloch.

Schlupfloch, dachte Jimmy. *Natürlich*. Jetzt erst wurde ihm klar, was seine Konditionierung plante. Blitzschnell bewegten sich Jimmys Hände über das Kontrollpult. Der Helikopter wurde für einen Augenblick langsamer, schwenkte zur Seite und jagte dann direkt hinter dem Zug über den Gleisen dahin.

Jimmy flog in den Tunnel, doch die Rotorblätter waren zu lang. Mit einem gewaltigen Krachen brachen sie ab und ihre Splitter surrten in alle Richtungen. Jimmy hatte jetzt keine Kontrolle mehr. Die Landekufen rutschten mit einem durchdringenden Kreischen über die Gleise. Im Funkenregen erkannte Jimmy, dass sich sein Cockpit direkt hinter dem Zug befand.

Sollte auch der Rest des Plans aufgehen, musste er

sich schneller bewegen als je zuvor. Er schwang sich von seinem Sitz und seitlich aus der Öffnung des Helikopters. Die äußere Metallhülle des Cockpits glühte heiß unter seinen Fingern, als er sie kurz berührte. Die Reibung auf den Gleisen bremste den Helikopter, während der Zug immer weiterdonnerte. Und bevor eine zu große Lücke zwischen beiden entstehen konnte, hechtete sich Jimmy nach vorne und legte all seine Kraft und Geschicklichkeit in den Sprung, um sicher zu landen.

Der hintere Zugteil schien sich aufzubäumen und der Aufprall presste sämtliche Luft aus Jimmys Lungen. Seine Fingerspitzen erwischten eine Art Metallbügel, an dem er sich blindlings festklammerte. Irgendwie gelang es ihm, sich zur Seite des Waggons zu hangeln, wo er besseren Halt fand. Er schloss die Augen gegen den Fahrtwind und den aufgewirbelten Staub.

Der Zug schoss aus dem Tunnel und das Wrack des Helikopters polterte hüpfend hinter ihm her.

Jimmy öffnete die Augen und sah, dass die versammelte Luftstreitmacht bereits auf ihn wartete. Innerhalb von Sekunden war der Himmel hell erleuchtet von den Antriebsstrahlen der Raketen. Jimmy schnappte nach Luft und spannte sämtliche Muskeln an. Er konnte es nicht fassen – der *NJ7* wollte tatsächlich einen Zug voller unschuldiger Passagiere in die Luft jagen, nur um ihn zu töten.

Doch das Ziel der Raketen war der völlig verbeulte Helikopter, den er gerade verlassen hatte. Sein rotorloses Wrack ging in einem gewaltigen Feuerball auf. Dabei schlitterte er weiter über die Gleise und verstreute brennende Trümmer in alle Richtungen.

Jimmy dagegen ratterte unverletzt in Richtung London.

Das *Cavendish Hotel* in der Londoner Jermyn Street war eine Fünf-Sterne-Unterkunft mit eher altmodischem Charme. Es war eines der ältesten noch verbliebenen unabhängigen Hotels der Stadt, aber jeder wusste, dass es sich nicht mehr lange halten würde. Es durften kaum noch Touristen ins Land, und für Briten gab es keinen Grund, dort zu übernachten, selbst wenn sie es sich hätten leisten können. So blieben nur reiche ausländische Geschäftsleute, und die hatten meistens nur wenig Sinn für die endlosen labyrinthischen Korridore, die abblätternde Farbe und die schummrige Beleuchtung, die trotzdem die fleckigen Tapeten kaum verbergen konnte.

Doch was für Zafi Sauvage fast noch entscheidender war: Das Servicepersonal war ziemlich nachlässig. So interessierte sich hier kaum jemand für sie – ein hübsches dreizehnjähriges Mädchen, das seit kurzer Zeit beim Reinigungspersonal aushalf. Solange ihre Uniform sauber war und sie irgendwie beschäftigt erschien, gingen die wechselnden Manager davon aus, dass sie für einen ihrer Kollegen auf Probe arbeitete. Dieses Gerücht wurde von Zafi auf geschickte Weise genährt.

Sie hatte sogar den Empfangschef davon überzeugt, dass sie sechzehn und die Tochter eines ausländischen

Investors wäre, die undercover Informationen über das Hotel einholen sollte. Das war zwar ziemlich weit hergeholt, aber der Mann hatte es ihr abgekauft. Vermutlich war es sogar plausibler als die Wahrheit. Wer hätte Zafi schon geglaubt, dass sie eine genetisch modifizierte Agentin war, die für den *DGSE* – den französischen Geheimdienst – arbeitete?

Während Zafi weiter den Handlauf des Haupttreppenhauses polierte, spähte sie auf die Uhr in der Lobby. Es war 4 Uhr 50. In zehn Minuten würde die Schicht wechseln und ein neues Team mit der Arbeit beginnen. Sich die wechselnden Dienstpläne und ihr Personal genau einzuprägen, war einer der ersten Schritte an ihrem neuen Arbeitsplatz gewesen.

Nachdem sie das Gold des Handlaufs auf Hochglanz poliert hatte, trottete Zafi hinauf zu dem Treppenabsatz, von dem aus eine Personaltür in die labyrinthische Welt hinter den Kulissen des *Cavendish* führte. Die sich windenden Verbindungsgänge und spiralförmigen Treppenhäuser des alten Gebäudes waren perfekt, um darin zu verschwinden.

Doch das war nur die erste Stufe von Zafis Plan. Von hier aus würde die ganze Welt ihr Labyrinth werden, in dem sie unterzutauchen gedachte. Reisedokumente waren leicht zu erhalten und zu kopieren. Komplette falsche Identitäten konnten aufgebaut werden, während unaufmerksame Rezeptionistinnen in der Kaffeepause waren. Die Küchen boten Nahrungsmittel im Überfluss und dank der vielen leeren Zimmer hatte sie stets einen guten Schlafplatz. Die einzige Frage war: Wie ging es weiter? Würde sie jemals nach Frankreich zurückkehren können? Ihre letzte Mission für den *DGSE* war perfekt verlaufen, bis auf die letzten Momente. Anstatt ihre Zielpersonen zu töten, hatte sie ihnen zur Flucht verholfen.

Zafi lief durch die Korridore des Hotels und versuchte sich die Lage im Hauptquartier in Paris vorzustellen. Wussten ihre Geheimdienstbosse bereits, dass ihre Zielpersonen noch am Leben waren? Ahnten sie, dass Zafi bei ihrer Mission bewusst versagt hatte? Plötzlich wurde sie von Verzweiflung heimgesucht. Würde sie je wieder die Chance erhalten, ihnen zu beweisen, dass sie eine hocheffektive Agentin war?

Sie huschte so leicht über das Parkett, dass man kaum etwas hörte. Dann betrat sie einen Raum, in dem Fundsachen aufbewahrt wurden, und schnappte sich ihre Jacke und eine Umhängetasche, in die sie ihre notwendigsten Dinge gepackt hatte. In der Tasche der Uniformjacke konnte sie die Umrisse ihres Handys spüren. Sicher hatte der *DGSE* bereits versucht, mit ihr Kontakt aufzunehmen, aber sie wagte nicht, die Nachrichten abzurufen.

Durch eine Notausgangstür schlüpfte Zafi hinaus in das Sträßchen hinter dem Hotel. Das Timing war perfekt. Gerade in diesem Moment tauchte am Ende der Gasse ein Müllwagen auf. Die Silhouetten zweier stämmiger Müllmänner stapften auf den Hinterausgang des Hotels zu. Zafi verbarg sich im Schatten eines großen

Haufens schwarzer Plastiksäcke. Dann huschte sie unbemerkt an den beiden Männern vorbei.

Als sie den Müllwagen erreichte, zog sie ihr Handy heraus. Wie leicht wäre es gewesen, es einfach wegzuschmeißen. Ihr altes Leben wäre ausgelöscht – zermalmt von der Presse eines Müllwagens. Der *DGSE* würde sie suchen, aber niemals finden. Dazu war sie einfach zu gut. Sie würde vortäuschen, in Ausübung ihres Dienstes vom britischen Geheimdienst eliminiert worden zu sein.

Ihre Faust ballte sich so fest um das Handy, dass sie beinahe die Plastikhülle zerbrochen hätte. Doch sie warf es nicht weg. Ihr Arm weigerte sich. Ihr Atem wurde flacher und ihr Körper spannte sich. In wenigen Sekunden würden die Müllmänner zurückkommen und die Gelegenheit wäre verstrichen. *Warum nur hielt ihr Agenteninstinkt sie zurück?*

Zafi warf einen Blick auf das Display. *Eine neue Nachricht.* Sie fürchtete sich vor dem Inhalt. Sie hatte ihre Mission nicht erfolgreich zu Ende gebracht. Möglicherweise beorderte man sie zurück nach Paris, wo irgendeine Art Strafe auf sie wartete. Vielleicht bereitete man aber auch schon eine Art Hinterhalt für sie vor. War sie von Frankreichs gefährlichster Waffe zu einer gewaltigen Enttäuschung oder sogar zu einer Staatsfeindin geworden? Zafi knirschte mit den Zähnen und ermahnte sich, nicht so zu überreagieren. *Es war ja nur eine Mission*, dachte sie. *Aber ohne eine neue Mission bin ich nichts.*

Aus den Augenwinkeln sah sie, wie die Müllmänner mit schwarzen Plastiksäcken auf dem Rücken zurückkehrten. Zafi holte tief Luft. *Ich bin eine Agentin*, versicherte sie sich. *Ich kann damit fertigwerden.* Vorsichtig tippte sie auf das Display und las die Nachricht.

Sie war wie üblich verschlüsselt und bestand aus einer Kolonne von Buchstaben und Zahlen. Zafi genoss das warme Summen in ihrem Kopf, während sie den Code so leicht entzifferte, als wäre es ein französischer Kinderreim. Und als sie den Inhalt erfasst hatte, breitete sich die Wärme vom Kopf bis in den gesamten Körper aus. Ganz offensichtlich hatte der Geheimdienst keine Ahnung, was vorgefallen war – und man war auch nicht an Details interessiert. Für den Augenblick sah es ganz so aus, als würde man ihr vertrauen. In Zafi regte sich ein Gefühl der Freude. Man brauchte sie. Eine wichtige neue Mission würde ihre ganze Aufmerksamkeit erfordern.

Zafi lächelte. Das war ihre Chance. Niemand würde sich noch für die Vergangenheit interessieren, wenn sie diese neue Mission abgeschlossen hätte. Es würde der bedeutsamste Einsatz eines französischen Agenten in der Geschichte des Landes. Sie würde beweisen, dass sie immer noch die Beste war – dem *DGSE* und sich selbst.

Sie schlüpfte aus ihrem Zimmermädchen-Dress und darunter kam ein dünner schwarzer Trainingsanzug zum Vorschein. Zafi warf die Uniform hinten in das Müllauto, schob das Handy zurück in ihre Tasche und trabte los. Sie lief in Richtung Süden, nach Westminster. Ihre neue Zielperson war nicht schwer zu finden.

Sie hatte ihn schon mehrfach zu eliminieren versucht, doch jedes Mal war ihr jemand in die Quere gekommen. Sie hatte ihn erschießen wollen, doch Jimmy Coates war im letzten Moment dazwischengegangen. Erst vor Kurzem hatte sie geplant, die Zielperson mit dem unbehandelten Fleisch eines Grönland-Hais zu vergiften. Doch ein *NJ7*-Agent hatte ihr in Island aufgelauert und das giftige Fleisch unbrauchbar gemacht.

Doch diesmal würde es gelingen. Es musste einfach so sein. In letzter Zeit war sie ein wenig abwesend und unsicher über ihre wahre Identität gewesen, doch jetzt war sie zurück. Und um das zu beweisen, musste nur ein Mann sterben. Die vier Worte der Nachricht hallten in ihrem Kopf wieder: »Eliminiere den britischen Premierminister«.

Jimmy konnte kaum fassen, dass der Zug nach einer derartig gewaltigen Explosion seine Reise ungehindert fortsetzte – und das ohne die geringste Verspätung. Es war sehr ungewöhnlich, dass ein Zug auf dieser Strecke pünktlich war, selbst ohne eine solche Katastrophe. Er konnte nur vermuten, dass der *NJ7* das kleine Drama geheim halten wollte – so geheim man eben ein lokales Feuergefecht und diverse Explosionen halten konnte.

Trotzdem erwartete Jimmy bei jeder geringsten Änderung im ratternden Rhythmus des Zuges das Schlimmste. *Sie werden den Tunnel und das Wrack durchsuchen,* dachte er. *Sie werden herausfinden, dass ich noch am Leben und in diesem Zug bin.*

Am hinteren Ende des Waggons hatte er eine Ecke gefunden, wo er unbemerkt sitzen konnte. Nachdem er durch ein Fenster eingestiegen war, hatte er ein Buch aufgesammelt, das aus einem Gepäcknetz gefallen war, und nun lehnte er an der Toilettentüre und tat, als würde er darin lesen.

In Wahrheit tanzten die Buchstaben vor seinen Augen. Sein Blick fand keine Sekunde Ruhe, obwohl nichts Besorgniserregendes in seiner Umgebung geschah. Niemand suchte nach ihm. Dennoch vibrierten und zuckten seine Nerven. Die Kälte aus dem Fußboden kroch in seinen Körper. Gleichzeitig spürte er tief in seinem Inneren eine Hitze, mit der seine Konditionierung ihn wärmen und seine Nerven beruhigen wollte. Doch Jimmy kämpfte dagegen an.

Sie versuchen mich zu töten, ermahnte er sich selbst. *Es ist gut, ständig hellwach zu sein.* Das Letzte, was Jimmy jetzt brauchte, war Entspannung. Er war noch nicht bereit dafür. Vor seinem inneren Auge spielte sich wieder und wieder die Explosion ab, sie dröhnte immer noch in seinen Ohren. Aber vor allem empfand er eine rasende, kaum zu bändigende Wut.

Zuerst dachte er, er wäre zornig auf die Leute, die versucht hatten, ihn in die Luft zu jagen. Doch dann dämmerte ihm, dass es etwas anderes war. Diese gesichtslosen Piloten waren unbedeutend, selbst wenn sie mit ihren Raketen auf ihn gezielt und den Abzug gedrückt hatten. Jimmys Ärger galt vielmehr ihrem Boss. Nicht einfach der britischen Regierung, sondern einem einzigen Mann. *Dem neuen Premierminister.* Jener Mann, der den Geheimdienst mit größeren Machtbefugnissen als je zuvor ausgestattet hatte. Jener Mann, der die öffentliche Angst und den Hass auf die Franzosen schürte, um seine eigene Position zu stärken. Jener Mann, der das System der Neodemokratie noch weiter ausgebaut und den Menschen jede Chance auf freie Wahlen genommen hatte. Jener Mann, der einmal Jimmys Vater gewesen war – Ian Coates.

Jimmy musste das Buch beiseitelegen und den Kopf in die Hände stützen. Er hatte sich noch nie so verwirrt und durcheinander gefühlt. Er fürchtete, verrückt zu werden. Seine Hände zitterten, und ihm wurde klar, dass er seinen Agenten-Instinkten nachgeben musste. Sie dämpften seine unerträglich quälenden Gefühle. Er konzentrierte sich jetzt auf diese besänftigende innere Kraft und verfluchte sich dafür, dass er seiner Konditionierung so lange widerstanden hatte. Wenn er am Leben bleiben wollte, musste er völlig fokussiert sein. Und das bedeutete, er durfte *nicht* über seinen Vater nachdenken.

In den letzten Wochen hatte Jimmy geglaubt, genau zu wissen, wann er auf seine Konditionierung hören musste – zeitweise war er sogar in der Lage gewesen, sie zu kontrollieren. Doch sie entwickelte sich rasch weiter, und auch der menschliche Anteil in ihm veränderte sich. Die Grenze zwischen beidem war nicht mehr so scharf gezogen. Alles ging irgendwie ineinander über. Er schloss die Augen und ließ es trotz des Toilettengeruchs zu, dass seine Lungen den Atem verlangsamten. Er dachte an die vielen Male zurück, wo ihn diese rätselhafte innere Kraft gerettet hatte. Gleichzeitig versuchte er zu vergessen, dass er ohne sie niemals in all diese Schwierigkeiten geraten wäre.

Er gab sich selbst die Schuld für den katastrophalen Verlauf des Abends. Warum war er nicht gleich aus der Nachrichtenredaktion geflohen, als die Polizei sich näherte? Es war ein völlig bescheuerter Gedanke gewesen, er könnte dort Hinweise auf das Schicksal seiner Familie finden. Warum sollte eine Lokalzeitung im Süden Englands Interesse daran haben, über den Verbleib dreier unbedeutender Londoner zu berichten? Selbst wenn die Zensur es zugelassen hätte?

Nach Jimmys letzten Informationen hatten seine Mutter, seine Schwester und sein bester Freund unter Überwachung des *NJ7* gestanden. Dann hatte der französische Geheimdienst ihnen einen Killer auf den Hals geschickt, weil Jimmy gegen eine Abmachung mit den Franzosen verstoßen hatte. Er hatte keine Ahnung, was danach mit ihnen geschehen war.

Jimmy war jetzt vollständig allein und isoliert. Diese besondere Kraft in seinem Inneren war im Augenblick sein einziger Verbündeter. Sie konnte den Schmerz der Einsamkeit lindern. Sie konnte seinen Vater komplett aus seinem Bewusstsein löschen. *Diese besondere Kraft ist auf meiner Seite*, versicherte er sich selbst. *Das bin ich.* Doch gleichzeitig spürte er Panik. Denn wenn diese Kraft in ihm tatsächlich er selbst war, dann war er bereits jetzt mehr Agent und Killer als Mensch.

KAPITEL 3

Mitchell rutschte nervös auf seinem Stuhl hin und her und seine Beine zuckten unter dem Tisch. Die Blicke sämtlicher Anwesender im Raum schienen ihn zu durchbohren. Er war es nicht gewohnt, von den mächtigsten Menschen des Landes durchdringend gemustert zu werden.

Um den langen, rautenförmigen Konferenztisch saßen ein Dutzend Männer und Frauen, die in Großbritannien nach Gutdünken schalten und walten konnten. Dank der Neodemokratie mussten sie sich nicht mehr um die Meinung des britischen Volkes kümmern. Sie konnten effizient und ohne Kontrolle das Land regieren, und die Machtzentrale befand sich hier im Kabinettraum von Nummer 10 Downing Street.

Aber wie mächtig auch immer diese Menschen waren, sie standen unter der Kontrolle eines einzigen Mannes – Ian Coates. Der Premierminister saß am Kopfende des Tisches, hatte die Hemdsärmel hochgerollt und die Ellbogen aufgestützt. Direkt hinter seinem Kopf hing ein Porträtgemälde. Mitchell hatte keine Ahnung, wen es darstellte, aber er bemerkte die neue Fahne darüber – die englische Flagge, der Union Jack, mit dem zusätzlichen, genau durch die Mitte verlaufenden grünen Streifen. Dieser grüne Streifen war das Emblem des *NJ7*.

»Meine Damen und Herren«, verkündete Ian Coates, »dies ist Großbritanniens mächtigste Waffe.«

Mitchell brauchte eine Sekunde, bevor ihm klar wurde, dass sie immer noch über ihn redeten.

»Ein Wunderwerk der britischen Wissenschaft und der Gentechnologie.«

Der Premierminister sprach mit gedämpfter, ernster Stimme. Mitchell fragte sich, ob er absichtlich so leise redete, damit die Anwesenden ihren Hals verdrehen und aufmerksam jedem Wort lauschen mussten. Ian Coates war kein sonderlich charismatischer Sprecher. Üblicherweise reichte seine imposante körperliche Erscheinung aus – breite Schultern, dichtes braunes Haar und buschige Augenbrauen. Aber heute bemerkte Mitchell zum ersten Mal die dunklen Tränensäcke unter seinen Augen und seine bleiche, fast gelbliche Haut.

»Er ist erst vierzehn Jahre alt«, fuhr der Premier fort. »Aber Mitchells Heldentaten der letzten Zeit haben Großbritannien stärker gemacht und stehen für echten britischen Erfolg.«

Britischen Erfolg? Als Mitchell an seine Missionen zurückdachte, konnte er sich nur an echt peinliches Versagen erinnern. Er fragte sich, ob der Premierminister das damit meinte.

»Lernen wir von ihm.« Der Premierminister klopfte mit dem Stift auf den Tisch und holte tief Luft. »Ich habe ihn zu diesem Meeting eingeladen, weil er ein Vorbild für *uns alle* ist.«

Mitchell glaubte, einen Funken von Gefühl in Ian Coates blutunterlaufenen Augen zu sehen. Doch der war schnell wieder verflogen. *Denkt der Mann gerade an seinen eigenen Sohn?*, überlegte Mitchell. Offiziell durfte niemand auch nur erwähnen, dass Ian und Jimmy Coates einmal Teil derselben glücklichen Familie gewesen waren.

»Im Moment brauchen wir Menschen von Mitchells Format mehr denn je«, verkündete der Premierminister. »Uns droht eine neue Gefahr.«

Lasst mich endlich hier raus, schrie Mitchell innerlich. Er wollte wieder auf eine Mission geschickt werden oder zumindest zu dem einfachen, disziplinierten und anonymen Leben in den unterirdischen Bunkern des *NJ7* zurückkehren. Helles Sonnenlicht, das durch die Vorhänge hereindrang, schien wie Gift durch seine Haut zu sickern.

Endlich wandte der Premierminister den Blick von Mitchell. »Ich habe William Lee gebeten, Sie alle über die Lage zu informieren«, verkündete er und wedelte knapp in Richtung des Mannes rechts von Mitchell.

»Danke, Herr Premierminister.« Der Mann erhob sich langsam – und der Vorgang schien gar nicht mehr aufzuhören. Er war bei Weitem der größte Mann, den die Anwesenden je gesehen hatten.

Mitchell hatte sich in den letzten Tagen langsam daran gewöhnt, aber einige Kabinettsmitglieder waren eindeutig überwältigt. William Lee ragte hoch vor ihnen auf und sein Schatten fiel über die gesamte Länge des Konferenztisches. Mitchell hätte das Gesicht des Mannes als indianisch bezeichnet, doch das erfasste die Besonderheit seiner Gesichtszüge noch nicht ganz: eine lange dünne Nase; Augen wie schwarze Oliven.

»Jimmy Coates lebt«, begann Lee. »Er hält sich in Großbritannien auf und er verbreitet Falschinformationen über die Regierung. Miss Bennett, die Akte bitte.« Er wandte sich um und blickte auf die Person links von Mitchell hinab: Die Chefin des *NJ7*, die furchteinflößendste und schönste Frau, der Mitchell je begegnet war. Sogar jetzt fand er kaum den Mut, sie anzuschauen.

Sie nickte Lee mit einem feinen Lächeln zu und warf dann einen braunen Aktenordner auf den Tisch. Sein Inhalt verteilte sich über die glänzende Tischplatte – Ausdrucke von Webseiten, Standfotos von Jimmys Videobotschaft, Bilder von dem Einbruch in die Zeitungsredaktion in Hailsham sowie zahlreiche andere Dokumente und Berichte.

Mitchells Blick hing weiter an Miss Bennett. Abgesehen von ihm selbst war sie die jüngste Person im Raum. Mitchell schätzte sie auf Ende dreißig, doch ihre glatte, straffe Haut und der leuchtend rote Lippenstift ließen sie noch jünger wirken. Wie üblich hatte sie den Mund zu einem wissenden Lächeln verzogen und ihr kastanienbraunes Haar war mit einer grünen Klammer straff zurückgebunden. Doch Mitchell war misstrauisch. Es kam ihm merkwürdig vor, dass sie so bereitwillig mit

William Lee kooperierte. Mitchell fragte sich, ob ihre Assistenten wohl in diesem Augenblick in Lees Vergangenheit wühlten, in einem weiteren Versuch, seine Position zu untergraben.

Formal gesehen war William Lee eigentlich nur Chef der persönlichen Sicherheitsmannschaft des Premierministers, doch er hatte schnell Coates' Vertrauen gewonnen und sich eine Position im Herzen der Macht erobert. Wenn er sprach, dann mit der Autorität eines machtbewussten Führers.

»Lügen haben lange Beine«, erklärte er. »Daher gehen wir nach Protokoll vor. Miss Bennett hat ein *NJ7*-Team darauf angesetzt, sämtliche Webseiten mit dieser Botschaft zu schließen, alle Posts zu blocken und so den Schaden zu begrenzen. Doch diese Lügen scheinen sich schneller zu verbreiten, als das regierungsfeindlichen Nachrichten bisher möglich war. Bei der Suche nach der ursprünglichen Sicherheitslücke sind wir auf die Redaktion einer Lokalzeitung in Hailsham gestoßen. Der Herausgeber und die Journalisten sitzen in Untersuchungshaft. Sie kooperieren mit uns.«

Mitchell schauderte. Er brauchte gar nicht erst auf die Fotos in dem Aktenordner schauen. Er wusste, was Lee mit: »Sie kooperieren mit uns«, meinte. Er hatte die getrockneten Blutspritzer auf dem Boden des *NJ7*-Verhörraums gesehen.

Plötzlich wurde Lee durch einen lauten Seufzer Miss Bennetts unterbrochen. Alle blickten zu ihr.

»Tut mir leid, dass ich Sie unterbreche.« An ihrem

Tonfall wurde klar, dass es ihr kein bisschen leidtat. »Sollten Sie nicht erst einmal alle hier im Raum informieren, was genau die Botschaft dieses Jungen so gefährlich macht?«

Lee reagierte gelassen. »Gerne. Er behauptet, die Gründe der Regierung für einen Krieg gegen Frankreich würden auf einer Lüge basieren. Er verbreitet überall, wir wären gar nicht von den Franzosen angegriffen worden.«

»Und wurden wir?« Miss Bennetts Lächeln wurde breiter, aber ihre Augen blitzten wie Dolchklingen.

»Wurden wir was?«

»Wurden wir von den Franzosen angegriffen? Oder lagen wir falsch?«

»Ob wir falschlagen?«, schnappte Lee. »Die Beweise sind eindeutig, sie wurden ausgiebig diskutiert und abgesegnet. Sie waren doch selbst dabei und stimmten der Entscheidung des Premierministers zu.«

»Ich habe nur auf Basis der *damals* vorliegenden Beweise zugestimmt«, erwiderte Miss Bennett. »Falls sich jedoch herausstellen sollte, dass diese Hinweise irreführend waren und neue Indizien vorliegen …«

»Die Entscheidung, Frankreich anzugreifen, ist bereits gefallen«, unterbrach sie Lee. »Und wir werden dabei bleiben.«

Mitchell hätte sich am liebsten in seinen Stuhl verkrochen. Der Streit ging direkt über seinen Kopf hinweg. Obwohl es ihn insgeheim freute, dass Miss Bennett diesen William Lee so rasch auf die Palme bringen konnte, hasste er es, dass erneut alle in seine Richtung blickten. Verzweifelt schaute er zum Premierminister, in der Hoffnung, der würde diese Diskussion beenden. Doch Coates starrte ins Leere und sein Kopf pendelte leicht hin und her. *Ist wirklich alles in Ordnung mit dem Mann?*, fragte sich Mitchell.

»Können Sie mir bitte erklären«, sagte Miss Bennett, »warum Jimmy Coates' Botschaft sich im Netz viel rascher verbreiten konnte als andere regierungskritische Nachrichten in der Vergangenheit?«

Lee ließ sich durch diese Frage nicht aus der Ruhe bringen. »Ihr eigenes Team aus der Informationsabteilung weiß sicher mehr darüber als ich, welche Nachrichten im Internet bevorzugt verbreitet werden.« Er stieß ein kleines Kichern aus. »Mir kommt es so vor, als würden die Leute dort vornehmlich Unsinn weiterleiten. Sie schicken ihren Freunden irgendwelche dämlichen Persönlichkeitsfragebögen, lächerliche Witze und Bilder von Affen, die als Pinguine verkleidet sind.«

»Dergleichen ist mir noch nicht untergekommen«, unterbrach ihn Miss Bennett. »Aber ich würde es gerne einmal sehen. Mitchell, kannst du bitte diesen Pinguinaffen, über den Mr. Lee so gut Bescheid weiß, im Netz für mich heraussuchen?«

Mitchell wand sich auf seinem Stuhl.

»Und schaue bitte auch nach diesen Witzen. Möglicherweise finde ich sie lustig.«

»Miss Bennett!« Unwillkürlich hob William Lee seine Stimme und blickte sich im Raum nach Unterstützung heischend um. Mitchell wusste, nur der Premierminister würde es wagen, Miss Bennett in ihre Schranken zu weisen, doch der blickte immer noch irgendwo in die Ferne und konzentrierte sich auf etwas anderes.

»Kein Grund, laut zu werden«, gurrte Miss Bennett. »Mir ging es lediglich darum, dass die Menschen offenbar positiv auf die Botschaft des Jungen reagieren. Vielleicht glauben sie ihm und vielleicht *wollen* sie glauben.«

Mitchell war verblüfft. Miss Bennett hatte sich schon häufiger mit William Lee gestritten, aber noch nie vor so großem Publikum.

»Eine Nachricht verbreitet sich schließlich nicht von selbst, oder?«, fuhr sie fort. »Es braucht Leute aus der Bevölkerung, um –«

»Leute aus der Bevölkerung?«, donnerte Ian Coates, der plötzlich auffuhr, als wäre er aus einem Albtraum erwacht. Alle erstarrten. »Seit wann scheren wir uns um irgendwelche Leute von der Straße, um diese Regierung zu führen?«

Mitchell beobachtete die Gesichter von Miss Bennett und William Lee. Sie waren beide völlig überrumpelt durch Coates' Ausbruch. Doch als der Premierminister fortfuhr, bemerkte Mitchell eine Veränderung in dessen Stimme. Sie klang dünn und brüchig, wie die eines dreißig Jahre älteren Mannes.

»Leute aus der Bevölkerung?!«, wiederholte Coates noch aufgebrachter. »Das System der Neodemokratie schützt das britische Volk vor der Ignoranz der breiten Masse.«

Mitchell konnte den Blick nicht von dem Mann abwenden. Der Premier war so wütend, dass seine Augen aus den Höhlen quollen und seine Schläfenader pochend hervortrat. Über seinen Augenbrauen glitzerten Schweißperlen.

»Die wichtigen Entscheidungen werden von Experten getroffen«, polterte Coates. »Von *uns*. Niemand in Großbritannien soll die Verantwortung tragen müssen für Entscheidungen von nationaler Tragweite. Die Konsequenzen solcher Entscheidungen sind immens.«

Die Kabinettsmitglieder rund um den Tisch starrten entweder in ihren Schoß oder warfen einander besorgte Blicke zu. Aber niemand wagte, den Premier zu unterbrechen.

»Es kommt heute mehr denn je darauf an«, fuhr der fort, »dass dieses Land hinter seiner Regierung steht. Und der Krieg mit Frankreich trägt einen entscheidenden Teil dazu bei. Er ist der perfekte Weg, um das Volk zu vereinen. Wir werden alle geschlossen hinter der Neodemokratie stehen.« Er fixierte William Lee. »Und deshalb haben wir das *Walnut Tree*-Projekt ins Leben gerufen.« Mit einem weiteren knappen Handwedeln bedeutete er Lee, mit seinem Vortrag fortzufahren.

»Es ist ganz einfach«, erklärte Lee, der immer noch leicht irritiert durch die Tirade des Premierministers wirkte. »Wir haben einen neuen »französischen« Anschlag in Planung. Diesmal ist es kein Angriff auf eine Ölbohrplattform oder ein militärisches Ziel, sondern auf das britische Volk selbst. Das wird alle im Land daran erinnern, dass wir einen gemeinsamen Feind haben.«

»Sie wollen britische Bürger attackieren und dann den Franzosen die Schuld dafür geben?« Miss Bennett war keineswegs so aufgebracht, wie Mitchell es erwartet hätte. Sie klang vielmehr so, als wollte sie nüchtern die Fakten klarstellen.

»Wir werden natürlich versuchen, Personenschäden zu minimieren«, erwiderte Lee. »Aber damit der Anschlag echt wirkt, werden wir einige Personen aus der Bevölkerung opfern müssen.«

»Verzichtbare Personen«, ergänzte Coates. »Kriminelle, die noch nicht verurteilt sind, Obdachlose, Langzeitarbeitslose …«

»Ich habe für den Anschlag den günstigsten Ort gewählt, der in so kurzer Zeit zu finden war«, erklärte William Lee. Er hob eine große Papierrolle vom Boden auf und breitete sie auf dem Tisch aus. Es war ein Stadtplan Londons. »Um maximale Wirkung zu erzielen, muss der Anschlag irgendwo mitten in London stattfinden. Und dann habe ich überlegt – warum sollen wir nicht die Gelegenheit nutzen und damit auch unser anderes kleines Problem lösen?«

Alle blickten ihn fragend an.

Doch Mitchell ahnte bereits, was Lee plante.

»Jimmy Coates ist unseren Luftstreitkräften entkommen. Der Abschuss des Helikopters war ein voller Erfolg, doch wie es sich herausstellte, befand sich Jimmy nicht in dem Wrack.«

Klingt nach einem weiteren echten britischen Erfolg, dachte Mitchell.

»Unser Spezialteam geht davon aus, dass er mit dem Zug entkommen sein muss. Der hat London vor zwanzig Minuten erreicht, daher war es bereits zu spät, den Bahnhof von Waterloo zu umstellen. Aber wenn wir den Anschlag geschickt einfädeln und alle Polizisten und gewöhnlichen Sicherheitskräfte aus der Gegend von Waterloo abziehen, können wir Jimmy vielleicht dazu veranlassen, aus seinem Versteck zu kommen, um die Explosion zu verhindern. Natürlich werden wir dafür sorgen, dass er damit keinen Erfolg hat. Selbst im ungünstigsten Falle werden wir so seine Spur aufnehmen können. Und mit ein bisschen Glück werden wir ihn sogar zusammen mit dem Gebäude in die Luft sprengen.«

Lee beugte sich vor, und sein Schatten fiel über den Stadtplan, wie die hereinbrechende Nacht über London. Er streckte seinen langen schmalen Zeigefinger aus und deutete auf eine kleine Gasse namens *Walnut Tree Walk* in Lambeth. Alles, was er sagte, war: »Ein Wohnhochhaus.«

Alle reckten die Hälse, um einen Blick auf den genauen Ort zu erhaschen. Die Kabinettsmitglieder am entfernten Ende des Tisches mussten aufstehen, und ein allgemeines Gemurmel erhob sich.

Mitchell erwartete, dass irgendjemand widersprechen würde, aber die Angst auf den Gesichtern verriet ihm, dass niemand es wagen würde. Er überlegte, selbst zu protestieren, aber als er Luft holte, um zu sprechen, schien diese in seiner Kehle zu gefrieren. Erneut blickte er auf den Stadtplan. Seine Verwirrung ließ die Straßen vor seinen Augen verschwimmen.

»Es ist für einen höheren Zweck«, flüsterte Lee und legte Mitchell eine Hand auf die Schulter.

Mitchell nickte rasch und setzte dann eine gleichgültige Miene auf. Es gehörte nicht zu seinem Job, die Entscheidungen der Regierung anzuzweifeln. Er konnte froh sein, überhaupt zu diesem Meeting eingeladen zu sein.

»Herr Premierminister.«

Eine entschlossene Stimme erhob sich über das allgemeine Gemurmel. Es war Miss Bennett. Ihr eisiger Tonfall brachte alle dazu, sich wieder zu setzen und ihr volle Aufmerksamkeit zu schenken. »Vermutlich werden Sie sich nicht von diesem lächerlichen Plan abbringen lassen. Und natürlich sehe ich eine gewisse Logik darin, aber ich bitte Sie dringend, nichts zu überstürzen. Eine solche Katastrophe wird das Land sicherlich vereinen und die Menschen von den Gerüchten im Internet ablenken, aber ist so ein Vorgehen nicht ein bisschen … plump.«

»Plump?«, knurrte Coates.

»Ja, als würde man ein Torpedo auf eine Mücke abfeuern.«

»Das Problem wäre damit jedenfalls gelöst«, murmelte William Lee.

»Aber man könnte das Problem auch lösen, indem

man einem *NJ7*-Team ein bisschen mehr Zeit gibt, die entsprechenden Webseiten und Plattformen zu schließen bzw. zu modifizieren und Gegeninformationen zu verbreiten. Inzwischen könnten wir die Jagd auf Jimmy Coates fortsetzen. Wir wissen, er ist in London. Und es gibt keinen Quadratmillimeter in dieser Stadt, der nicht von unseren Kameras oder Satelliten in Echtzeit überwacht wird. Wir werden ihn finden und töten, noch vor Ende des Tages.«

»Ein Tag ist zu lange«, fauchte Coates. »Die Operation wurde bereits gestartet.«

»Ich habe befürchtet, dass Sie das sagen würden.« Miss Bennett zuckte mit den Achseln. »Mein Vorschlag ist also abgelehnt?«

Der Premierminister nickte.

Mit einer schwungvollen Bewegung löste Miss Bennett ihr Haar und ließ es offen auf die Schultern fallen. Sie tippte mit ihrer Haarklammer auf den Tisch und verkündete mit einem breiten Lächeln: »Sie sind ein Narr.«

Alle Anwesenden erstarrten vor Entsetzen, nur Ian Coates selbst schien sich ein Lächeln mit Mühe zu verkneifen.

»Wir werden dieses Hochhaus in die Luft jagen«, beharrte er zunächst leise und dann lauter: »Wir werden das Hochhaus auf dem Walnut Tree Walk sprengen!« Dann donnerte er die Faust auf den Tisch und brüllte: »Und wenn jemand ein Problem damit hat, dann kann er jetzt sofort diesen Raum verlassen!«

Mitchell schaute in die Runde. Niemand wagte es,

den Blick zu heben. Das einzige Geräusch war ein leises Hin- und Herrutschen der Versammelten auf ihren Stühlen. Mitchell wusste, wenn jetzt irgendjemand diesen Raum verließ, würde er es niemals bis hinaus auf die Straße schaffen.

Miss Bennett beobachtete gelassen die Vorgänge.

Schließlich brach der Premierminister das Schweigen:

»Wir sind uns alle einig, dass die Prinzipien der Neodemokratie unverzichtbarer Teil der Stärke unseres Landes sind, oder?«

Ein leises, zustimmendes Gemurmel erhob sich.

»Und dass es unsere Pflicht ist, die Neodemokratie zu schützen, wann immer sie bedroht wird.«

Erneut nickten die Versammelten und brummten zustimmend, diesmal ein klein wenig lauter als zuvor.

»Dann hat das britische Volk also nichts von den hier Anwesenden zu befürchten. Im Gegenteil: Wir beschützen sie.« Ian Coates' Stimme wurde immer lauter und schriller. »Die Gefahr droht von jenseits unserer Grenzen. Und wenn die Menschen das nicht begreifen, dann ist es unsere Pflicht, es ihnen zu beweisen.« Er erhob sich und stützte sich auf der Tischplatte ab. »Ihre Angst wird das System stärken, und das System schützt sie. Und wenn sie das System infrage stellen, dann haben sie einfach noch nicht genug Angst!«

Mitchell bemerkte überrascht, dass der Premierminister immer heftiger schwankte, dann nach hinten stolperte und seinen Stuhl umstieß. Der Premierminister schwankte nun immer heftiger, er blinzelte wild und konnte sich kaum mehr aufrecht halten.

Alle Kabinettsmitglieder bis auf Miss Bennett und William Lee eilten herbei und versuchten ihn zu stützen. Wie ein Bär im Fieberwahn fegte er sie beiseite.

»Der Schrecken lauert direkt vor unserer Haustür!«, kreischte er, und seine Worte waren kaum mehr richtig verständlich. »Wenn die Menschen nachts noch so ruhig schlafen, dass sie auf die Idee kommen, diese stinkenden Verleumdungen eines dummen, verräterischen Jungen …« Er torkelte zu einer Seite und wollte sich am Kaminsims abstützen, griff aber daneben und riss eine große Vase zu Boden.

Plötzlich stoben die aufgescheuchten Kabinettsmitglieder in alle möglichen Richtungen auseinander und schrien nach Hilfe.

Mitchell sah wie gebannt zu. Alles schien in Zeitlupe zu verlaufen: Die Augen des Premierministers verdrehten sich. Seine Arme zitterten und sein Oberkörper krümmte sich. Seine Beine gaben unter ihm nach. Er sackte über dem Tisch zusammen und seine Stirn krachte auf das Holz. Seine ausgestreckten Fingerspitzen kamen nur wenige Zentimeter vor Miss Bennetts Haarklammer zu liegen.

KAPITEL 4

Jimmy entfernte sich eilig vom Bahnhof Waterloo. Es war leicht gewesen, im Strom der zur Arbeit eilenden Pendler unbemerkt zu bleiben. Sie hielten ihre grimmigen Gesichter gesenkt, wenn sie nicht gerade auf die Tafel mit den Abfahrtszeiten spähten. Mehr Sorge bereiteten Jimmy die Überwachungskameras. Mit einer Gesichtserkennungssoftware würden sie ihn innerhalb von Sekunden in der Menge identifizieren.

Während der Zugfahrt hatte er im Bordbistro ein Handbuch für das Zugpersonal gefunden und ihm einige wichtige Informationen entnommen. Es beschrieb Notfallmaßnahmen und bestätigte, was er sich bereits gedacht hatte: Die letzten öffentlichen Krankenhäuser im Land befanden sich in den Großstädten. Die Broschüre empfahl, sich bei schwereren Personenschäden an das gut ausgestattete Klinikum St. Thomas zu wenden.

Kleinere Krankenhäuser konnten ihm mit seiner radioaktiven Verstrahlung nicht helfen. Dort aufzutauchen, hätte ihn nur unnötig in Gefahr gebracht. Nein – ihm blieb genau eine Chance, und er entschied sich für St. Thomas.

Jimmy war in seinem Leben nur ein einziges Mal im Krankenhaus gewesen, an dessen Namen er sich nicht mehr erinnerte. Er war auf dem Abenteuerspielplatz gestürzt, und seine Mutter hatte befürchtet, er hätte sich den Arm gebrochen, und ihn röntgen lassen.

Jimmy hatte damals stundenlang in einem Wartezimmer gesessen, nur um am Ende zu erfahren, dass alles in Ordnung war. *Komisch*, dachte er, *wie mein Körper sich verändert hat.* Seit er diese besonderen Kräfte entwickelte, hätte ein Sturz niemals ausgereicht, seinen Arm zu brechen. All diese Schnitte und Verletzungen, die ihm in seiner Kindheit so schlimm erschienen waren – das war vorüber. Seine Programmierung war verfrüht aktiviert worden, und Jimmy fragte sich, ob es wohl etwas gab, dass sie wieder abschalten könnte. Dann ermahnte er sich, solche unsinnigen Überlegungen aus seinem Kopf zu verbannen. Seine Programmierung konnte nicht deaktiviert werden. Sie war ein Teil von ihm.

Jimmy lief durch die Straßen in Richtung Themse. Vermutlich war es auf den Straßen sicherer als in den Gängen des U-Bahn-Systems. Mithilfe der Karte aus dem Notfall-Handbuch hatte er sich den Weg nach St. Thomas genau eingeprägt. Doch bereits nach wenigen Minuten stieß er auf ein Problem. Bewaffnete Polizisten blockierten die Straßen und Gehwege.

Rasch verbarg Jimmy sich im Eingang eines Cafés. Er war ärgerlich auf sich selbst. Wie war er nur auf die Idee gekommen, er könne den Weg zur Klinik zu Fuß zurücklegen? *Sie haben bereits einen Überwachungsring um den Bahnhof gezogen,* wurde Jimmy klar. Eigentlich hatte er gehofft, der *NJ7* würde nicht so schnell herausfinden, dass er sich nicht in dem Helikopterwrack befand.

Jetzt blieb ihm nichts anderes übrig, als wieder umzukehren. Doch denselben Weg noch einmal zu gehen, erhöhte die Chance, entdeckt zu werden, daher wählte er eine andere Route in Richtung Bahnhof. Sein Gehirn suchte verzweifelt nach einem Ausweg. Wenn der Fußweg zur Klinik versperrt war, dann würden sicher auch die U-Bahnhöfe überwacht – sofern im Moment überhaupt Züge fuhren.

Inzwischen kam es Jimmy so vor, als müsste sich jeder seiner Gedanken mühsam den Weg durch einen Nebel aus Müdigkeit und Hunger bahnen. Er konnte sich nicht erinnern, wann er das letzte Mal ein paar Stunden am Stück geschlafen hatte, und sein Magen schrie nach irgendeiner Art von Frühstück.

Kurz darauf erreichte er die Straßen rund um den Bahnhof von Waterloo. *Wenn sie einen Überwachungsring gezogen haben*, dachte er, *dann bin ich genau in der Mitte am sichersten.* Ärger und Enttäuschung nagten an ihm. Eigentlich hatte er keine Zeit zu verlieren, doch jetzt schien er zum Warten verdammt. Seine Konditionierung arbeitete auf Hochtouren und schien wie eine dunkle Flüssigkeit durch seinen Kopf zu pumpen. Sie rechnete ihm seine Möglichkeiten vor: Ganz sicher würde der *NJ7* die Kofferräume aller Autos kontrollieren. Aber was war mit der Unterseite des Fahrgestells?

Jimmy bog um eine Ecke und stellte fest, dass ihn seine Instinkte zu einem Lieferanteneingang des Bahnhofs geführt hatten. Geduckt schlich er zwischen Bergen alter Plastikkisten hindurch. Hier wurden die Waren für die Geschäfte und Imbissstände im Bahnhof ausgeladen. Es war schon ein bisschen spät für eine Warenlieferung, aber wenn einer der Wagen aufgehalten worden war, könnte er Jimmy mit zwei Dingen versorgen: einem dringend benötigten Frühstück und einer Fluchtmöglichkeit.

Schon nach kurzer Zeit wurden Jimmys Gebete erhört. Ein weißer Lieferwagen setzte bis an die Laderampe zurück und hielt an.

Jimmy wartete darauf, dass der Fahrer ausstieg. Er musste den richtigen Moment abpassen. Voller Vorfreude fragte er sich, was sich wohl in dem Lieferwagen befand. *Sandwiches? Knabberkram? Muffins?* Der Lieferwagen gab keinen Hinweis darauf – keine Aufschrift, kein Logo. Doch Jimmy hatte nicht die Zeit, es herauszufinden.

Nachdem der Lieferwagen eine Minute gewartet hatte, fuhr er wieder davon. Jimmy stieß einen genervten Seufzer aus. Sein Magen revoltierte. *Warum in aller Welt hielt dieser Lieferwagen hier, wartete und fuhr dann wieder davon?* Egal. Er musste sich entscheiden: Entweder er versuchte durch den Liefereingang irgendwie in den Bahnhof zu gelangen und sich dort etwas zu essen zu besorgen, oder er musste auf einen weiteren Lieferwagen warten. Doch Jimmys Geduld war erschöpft.

Vorsichtig nach Überwachungskameras Ausschau haltend kroch er aus seinem Versteck. Er ließ sich von seiner inneren Stimme unter den die Umgebung abschwenkenden Kameras hindurch leiten. Jimmy war nur noch wenige Schritte von dem Personaleingang entfernt, als er das Kreischen alter Bremsen hörte. Sofort hechtete er sich hinter einen Stapel Kisten.

Derselbe Lieferwagen, der vor einigen Minuten davongefahren war, war an die Rampe zurückgekehrt. Jimmy ging tief in die Hocke und spähte zwischen den Plastikkisten hindurch. Seine Neugier war definitiv geweckt.

Wie schon zuvor stand der Lieferwagen einfach nur sechzig Sekunden herum, bevor er wieder davonröhrte.

Diesmal bewegte Jimmy sich nicht von der Stelle. Stattdessen begann er automatisch zu zählen. Ein Teil von ihm wäre am liebsten zum Bahnhof gelaufen. Doch die Konditionierung lähmte seine Glieder und hielt ihn an Ort und Stelle fest. Nach drei Minuten wurde seine Geduld belohnt. Der Lieferwagen kehrte zurück.

Jimmy versuchte einen Blick auf den Fahrer zu erhaschen, aber die Scheiben des Wagens spiegelten zu stark. Schließlich fuhr der Transporter erneut davon, nur um drei Minuten später wieder aufzutauchen. *Er muss den Bahnhof umrunden*, wurde Jimmy klar. Aber warum? War es irgendeine Art von Signal? Wartete der Fahrer auf Instruktionen? Suchte er nach jemandem? Jimmy überlegte, ob dieser Lieferwagen möglicherweise zu den Suchkommandos gehörte, die auf seinen Fersen waren. Aber das kam ihm merkwürdig vor. Warum sollte der *NJ7* einen einzelnen weißen Lieferwagen um den Bahnhof kreisen und alle paar Minuten zum selben Lieferantenzugang zurückkehren lassen?

Das Ganze wurde noch rätselhafter. Als der Lieferwagen das nächste Mal zurückkehrte, hupte der Fahrer zwei Mal kurz. Zwei kräftige Männer in schmutzigen blauen Overalls kamen aus dem Bahnhofsgebäude und rissen die Hecktüren des Wagens auf. Dann begannen sie Kisten zu bringen, die entweder versiegelt oder mit grauen Decken bedeckt waren. Als die erste der Kisten aus der Dunkelheit des Bahnhofsgebäudes auftauchte, begann überraschend Jimmys Haut zu prickeln. Er beobachtete die Kisten noch aufmerksamer.

Offenbar waren sie sehr schwer und die Männer trugen sie mit äußerster Vorsicht. Beide hatten Handschuhe an und senkten die Kisten so sorgsam auf die Ladefläche, als würden sie ein Baby zu Bett bringen. Jimmy wäre gerne näher gekrochen, um sich einen Reim auf das Ganze zu machen. Irgendetwas dort schien ihn anzuziehen. Er holte tief Luft, um sich zu beruhigen, aber das verstärkte nur dieses merkwürdige Gefühl. Und dann wurde ihm klar, warum: Ein bestimmter Geruch lag in der Luft.

Nitroglyzerin.

Das Wort schoss ihm durch den Kopf, ohne dass er gewusst hätte, wie es dort hingelangt war. Es war, als hätte er es eingeatmet. Zuerst war er sich nicht sicher, was es bedeutete, aber dann ging ein tiefes Summen durch seinen Körper und brachte ihm die beängstigende Erkenntnis: *hochbrisanter Explosivstoff.*

Felix Muzbeke riss seinen ohnehin ziemlich großen Mund so weit wie möglich auf und verschlang mit einem einzigen Bissen mehr als einen halben Bagel.

»Du bist ekelhaft«, kommentierte Georgie Coates leise.

Felix grinste, wobei ein Stück Pastrami seinen Lippen entwischte und im Mundwinkel hängen blieb.

»Wieso bist du eigentlich nicht fett?«, fragte Georgie, ihren eigenen Bagel kauend.

Felix zuckte mit den Achseln und mampfte weiter.

»Was Chris nur immer mit diesen U-Bahnstationen und Bahnhöfen hat?«, überlegte Felix laut, als er seinen Bissen vollständig hinuntergeschlungen hatte. »Wir werden wohl den Rest unseres Lebens in unterirdischen Verbindungsgängen verbringen.«

»Das sind gute Verstecke, schätze ich«, antwortete Georgie. »Schließlich wollen wir nicht, dass Miss Bennett jederzeit vorbeischauen kann. Chris ist schließlich der Staatsfeind Nr. 1.«

»Abgesehen von Jimmy«, fügte Felix mit einem Hauch von Stolz hinzu.

»Vielleicht.«

Georgie scannte beständig die Gesichter der übrigen Menschen in der Haupthalle der London Bridge Station. Jeder von ihnen könnte Sicherheitspersonal in Zivil sein. Jeder vom Sicherheitspersonal könnte auf der Suche nach ihnen sein und auf Anweisung des *NJ7* handeln.

In der Zwischenzeit beobachtete Felix Georgie aufmerksam. Sie schenkte ihrer Umgebung mehr Aufmerksamkeit als ihrem Bagel. Ab und zu fragte sich Felix, ob sie vielleicht ähnliche innere Kräfte besaß wie Jimmy. Vielleicht hatte sie diese nur noch nicht für sich entdeckt. Felix war immer wieder erstaunt, wie gut sich Georgie an dieses Leben auf der Flucht angepasst hatte, wo sie ständig auf der Hut sein mussten, von Junkfood lebten und ihnen überall in der Öffentlichkeit potenziell tödliche Gefahr drohte. Er fühlte sich in Georgies Gegenwart fast genauso sicher wie in Jimmys. Außerdem witterte er eine gewisse Chance, dass sie ihren Bagel nicht aufessen würde und er die Reste bekäme.

»Komm schon«, sagte Georgie entschlossen, »wir gehen besser zurück. Wir sind schon zu lange hier draußen.« Sie liefen rasch durch den Eingangsbereich des Bahnhofs.

»Ist echt nicht meine Schuld«, antwortete Felix. »Die haben Ewigkeiten gebraucht, um meinen Bagel zu machen.«

»Nächstes Mal nimmst du einfach etwas Normales. Du weißt schon, aus dem Regal.«

»Was ist verkehrt an Pastrami und Ananas?« Felix verschlang den Rest seines Snacks mit einem Grinsen und riss dann Georgie die Flasche mit dem Smoothie aus der Hand.

»Hey!«, protestierte sie.

»Nur einen Schluck.«

»Okay, aber trink mit dem Kopf nach unten.« Georgie richtete den Blick auf die Sicherheitskameras. Felix versuchte mit gesenktem Kopf aus der Flasche zu trinken.

»Glaubst du, dass Jimmy trinken kann, ohne den Kopf zu bewegen?«, fragte er.

»Die meisten Menschen können trinken, ohne ihren …«

Georgie drehte sich um und bemerkte, dass Felix Smoothieflüssigkeit über das Kinn rann. »Okay«, korrigierte sie sich. »Die meisten gesunden Menschen.«

Felix wischte sich den Mund ab und musste kichern. Er hätte nie gedacht, dass er irgendwann richtig mit Georgie befreundet sein würde. Sie war nicht nur ein Mädchen, sondern auch noch zwei Jahre älter als er. Trotzdem fühlte es sich nicht komisch an. Außerdem gab es sonst auch niemanden, mit dem er Zeit verbringen konnte. *Keine Schulkameraden, keine Freunde … keine Familie*, dachte er. Kälte kroch in seine Knochen. Dieser Gedanke hatte ihn ohne Vorwarnung heimgesucht.

Felix' Eltern waren in New York entführt worden, vermutlich von *NJ7*-Agenten. Seitdem hatten sie nichts mehr von ihnen gehört. Aber Felix musste ständig an sie denken. In jeder Menschenmenge glaubte er sie zu erspähen, doch es erwies sich jedes Mal als Täuschung. Aber er konnte einfach die Hoffnung nicht aufgeben, dass auch sie irgendwo nach ihm Ausschau hielten.

»Hey«, sagte er fröhlich und versuchte sich abzulenken, »was glaubst du, wie es sich für Jimmy anfühlt, wenn er dieses ganze Zeug macht?«

»Welches Zeug?« fragte Georgie. »Du meinst etwas mit seinen«, sie senkte ihre Stimme und flüsterte, »besonderen Kräften?«

»Denkst du, es ist wie ein Stromschlag?«, überlegte Felix laut. »Oder wie eine heiße Dusche?«

»Oh, ich hätte so gern eine heiße Dusche«, stöhnte Georgie.

»Es ist so cool, was er alles kann«, fuhr Felix fort. »Ich meine, wenn die Leute nicht ständig versuchen würden, ihn zu töten, und all das.«

»Wenn du mich fragst, sind seine Kräfte nutzlos«, erwiderte Georgie rasch. »Er könnte der stärkste Junge der Welt sein und wäre trotzdem nicht in der Lage, die Regierung abzusetzen.«

»Er *ist* wahrscheinlich der stärkste Junge der Welt«, korrigierte Felix sie. »Außer vielleicht Mitchell. Aber Jimmy ist nicht nur stark. Was ist mit all seinen anderen Fähigkeiten? Kannst du dir das vorstellen? Er könnte eine Bank anrufen, seine Stimme verstellen und ihnen sagen, sie sollen ihm Millionen von Pfund auszahlen. Möglicherweise lebt er irgendwo das volle Luxusleben. Er könnte –«

»Ich glaube nicht, dass Banken so arbeiten«, sagte Georgie. »Und seit wann kann Jimmy Stimmen imitieren?«

»Sicher kann er das«, beharrte Felix. »Er hat es mir gesagt. Ich wette, er kann auch fliegen.«

»Wieso bist du nur so ein Idiot?«, seufzte Georgie, aber das Lächeln auf ihrem Gesicht war unübersehbar.

»Naturtalent«, strahlte Felix. »Isst du den Bagel nicht auf?«

Jimmys Konditionierung hatte die Kontrolle übernommen, verarbeitete jedes noch so kleine Detail – einschließlich aller Aromen in der Luft: altes Brot, verrottendes Gemüse, Schweiß, Katzen ... und Hunderter weiterer Dinge.

So etwas war ihm noch nie zuvor gelungen. Seine Programmierung entwickelte sich ständig weiter. Die Erkenntnis ließ ihn schaudern. Er sehnte sich danach, seine überwachen Sinne abzuschalten und all diese Gedanken zu vertreiben.

Das Zuschlagen der Lieferwagentüren brachte Jimmy zurück in die Wirklichkeit. Als er den Kopf hob, war der Lieferwagen bereits am Zurücksetzen. Jimmy hätte sich gerne erleichtert gefühlt. Was auch immer in diesen Kisten war, jetzt war es weg und hatte nichts mehr mit ihm zu tun.

Doch die Zweifel in Jimmy rumorten weiter.

Seit er das Nitroglyzerin geschnuppert hatte, waren seine Agenteninstinkte in Aufruhr. Der Geruch setzte in seinem Gehirn gespeicherte Informationsschnipsel frei. Er hatte nichts von seinem verborgenen Wissen über Sprengstoffe geahnt, aber jetzt drängte es immer weiter in sein Bewusstsein. Und sagte ihm, dass Nitroglyzerin eine gewaltige Bedrohung darstellte.

Es wurde weder beim Bau noch bei einem normalen Abriss von Gebäuden verwendet. *Zu instabil*, hörte Jimmy in seinem Kopf. *Schwer zu kontrollieren.* Also musste es einen ganz besonderen Grund geben, warum der Lieferwagen Nitroglyzerin transportierte, und Jimmy hatte den starken Verdacht, dass es nicht für ein öffentliches Feuerwerk bestimmt war. *Er musste diesem Lieferwagen folgen.*

Nachdem er sich vergewissert hatte, dass er unbeobachtet war, griff er tief in einen Kistenstapel vor sich, die auf einem Transportrollbrett gestapelt waren. Mit einem scharfen Ruck riss Jimmy das Holzbrett hervor, worauf die Kisten lautstark auf den Asphalt klapperten. Doch da war Jimmy bereits losgesprintet.

Als er die Straße erreichte, sprang er auf das Rollbrett und benutzte es als Skateboard. Die kleinen Metallräder ratterten über den Bürgersteig.

Jimmy konnte das Heck des Lieferwagens um die Ecke biegen sehen. Er stieß sich fest vom Boden ab, um zu beschleunigen, aber ihm war klar, dass sein Tempo niemals ausreichen würde. Mit einer leichten Drehung seiner Knie lenkte er das Brett auf die Straße, duckte sich tief und packte die Stoßstange eines vorbeifahrenden Autos.

Die Auspuffgase machten ihn schwindlig und das Auto hinter ihm hupte wütend. Jimmy war es egal. Langsam zog er sich an der Seite des Autos entlang nach vorne, während es sich weiter durch den Verkehr bewegte. Jimmy hielt den Blick fest auf die Rückseite des Lieferwagens vier oder fünf Fahrzeuge vor ihm geheftet. Er ritt jede Bodenwelle auf der Straße wie ein Snowboarder, den Kopf immer unter Höhe der Autofenster.

Der Verkehr wurde immer schneller, aber sogar bei fünfzig oder sechzig Kilometern pro Stunde gelang es Jimmy, sich vom vorderen Kotflügel des ersten Wagens abzustoßen und sich am Heck des Nächsten festzuklammern. Dort zog er sich erneut nach vorne, bis er das Gesicht des Beifahrers im Außenspiegel sah.

Nach ein paar Minuten bog der Lieferwagen in eine Seitenstraße ab. Jimmy ließ das Auto los und übernahm nun selbst wieder die Kontrolle über Tempo und Richtung. Er ignorierte die leise warnende innere Stimme, dass er keine Ahnung habe, was er gerade eigentlich tat und was ihn dort erwartete.

Es war eine ziemlich ruhige Straße mit großen Mietshäusern zu beiden Seiten. Jimmy ließ sich zurückfallen. Hier gab es keinen dichten Verkehr mehr, in dem man sich verstecken konnte. Ungefähr hundertfünfzig Meter die Straße runter fuhr der Lieferwagen in eine Einfahrt. Jimmy verlor ihn aus den Augen und musste sich nun beeilen. Er sah gerade noch rechtzeitig, wie der Lieferwagen eine Rampe hinab in die Tiefgarage eines Wohnhochhauses fuhr.

Dann wurden die Schatten von einem Blitz erhellt. Ein lautes Krachen folgte. Jimmy schauderte. War das ein Schuss? Er sprang von seinem behelfsmäßigen Skateboard und rannte die Straße runter. Der Lärm der

Welt schien zu verstummen – der Verkehr auf den umliegenden Straßen, das Kindergeschrei vom Spielplatz zwischen den Wohnsilos, die Stimmen einer TV-Show aus einem offenen Fenster im Hochhaus selbst. Jimmy hörte nur noch das Echo dieses einzelnen Schusses, der sich mit dem Widerhall seiner Schritte auf dem Bürgersteig vermischte.

Als Jimmy die Rampe der Tiefgarage erreichte, wurde er fast von den Füßen gerissen. Von unten herauf kam ein Moped geröhrt. Das Gesicht des Fahrers war von einem schwarzen Helm verdeckt, aber Jimmy erkannte den blauen Overall wieder: Der Fahrer des Lieferwagens raste da gerade davon.

Jimmy erstarrte. Er spähte die Rampe runter. Ein solides Metallgitter senkte sich gerade. Er drehte sich um und blickte die Straße hinauf. Das Moped war verschwunden. Jimmy fühlte eine warme Welle der Energie in seinen Beinen. Sie trieb ihn an – aber nicht dem Moped hinterher. Stattdessen stürzte er die kurze Schräge hinunter und machte eine Hechtrolle, um gerade eben noch unter dem Metallgitter hindurchzurutschen, kurz bevor es sich endgültig schloss.

Seine Konditionierung verriet ihm: Unter diesem Gebäude befanden sich die Kisten mit Nitroglyzerin im Heck eines Lieferwagens. Und jemand war gerade erschossen worden. Jimmy hatte keine Ahnung, warum das alles geschah, und wieso er selbst da hineingestolpert war, aber das änderte nichts daran, dass er eingreifen musste.

Natürlich konnte Jimmy nicht wissen, dass der *NJ7* ihn absichtlich auf diese Spur gelockt hatte. Der Fahrer war den Anweisungen des Geheimdienstes gefolgt, hatte die Waterloo Station mehrmals umrundet und dabei mit verdächtigen Manövern auf sich aufmerksam gemacht.

Der Plan des *NJ7* ging auf. Sie waren vielleicht nicht in der Lage gewesen, Jimmy zu finden, aber er hatte ihren Köder geschluckt und saß nun im Walnut Tree Walk in der Falle.

KAPITEL 5

Das metallene Rollgitter knallte auf den Beton, schloss das Tageslicht aus und sperrte Jimmy in der Parkgarage ein. Schmale Lichtstreifen erzeugten sanfte Schatten zwischen den Wagenreihen. Jimmy erhob sich, klopfte den Staub ab, und das Erste, was er erblickte, ließ seine Knie weich werden.

Neben der Einfahrt stand das Häuschen des Parkwächters. Auf einem Tisch im Inneren stand eine Teetasse und dampfte noch. Aber vom Kopf des Wachmannes war nicht mehr viel übrig.

Panisch drehte Jimmy sich weg und schnappte nach Luft. Doch mit jedem Atemzug schien er den Geruch von frischem Blut einzusaugen. Er wollte schreien, brachte aber nur ein verzweifeltes Keuchen heraus.

Er stolperte nach hinten, umklammerte Mund und Nase, als könnte er auf die Art den üblen Geschmack aussperren. Nach schier endlosen Sekunden schalteten sich endlich seine Agentenkräfte ein. Sie vibrierten durch seinen Körper, verdrängten den Schock, doch zu spät. Jimmy beugte sich vor und gab seinen spärlichen Mageninhalt von sich.

Ein Teil von ihm hätte sich am liebsten in einer Ecke

verkrochen, um wieder zur Besinnung zu kommen, doch das war keine echte Option. Stattdessen richtete er sich zu seiner vollen Größe auf und ging zurück zu dem Häuschen. Diesmal ignorierte er das Blut, das immer noch aus dem Hals des Wachmannes sickerte. Er sah sich um, suchte nach einem Telefon oder Walkie-Talkie. Und fand sie. Doch beide waren vollständig zertrümmert worden – vermutlich von demselben Mann, der den Parkwächter auf dem Gewissen hatte.

Er ist auf diesem Moped an mir vorbeigefahren, wurde Jimmy klar. *Ich hätte ihn aufhalten können.* Erneut wurde ihm übel, doch seine Konditionierung schaltete noch einen Gang hoch. Sie schien sich wie ein breiter, enger Gürtel um seinen Körper zu legen, seine Gedanken zu beruhigen und alle ängstlichen Gefühle auszublenden.

Nach kurzer Suche fand er den Transporter. Es war nicht schwer – er war gleich in der mittleren Reihe abgestellt, neben einer Säule des Parkdecks. Die Hecktür war verschlossen, doch Jimmy sprengte das Schloss mit einem gezielten Hieb seines Ellbogens.

Im Fahrzeug waren Kisten gestapelt, jeweils drei übereinander unter einer grauen Decke. Jimmy hob eine Seite der Decke an und hätte sich beinahe erneut übergeben. Es war noch schlimmer als befürchtet.

Als er das Nitroglyzerin anfänglich gerochen hatte, war er davon ausgegangen, dass sich ein oder zwei Kisten hochexplosiven Materials in dem Transporter befinden würden. Doch in der Tat waren es Dutzende von

Kisten, randvoll mit schmalen Glasröhrchen, die eine klare puddingartige Substanz enthielten und durch ein Netz schwarzer Drähte verbunden waren. Der ganze Transporter war eine einzige gigantische Bombe.

Jimmy wollte losrennen, um die Menschen zu warnen. Er dachte an die vielen Bewohner des Hochhauses über ihm und an die Kinder auf dem Spielplatz neben dem Gebäude. Sie mussten alle sofort evakuiert werden. Doch Jimmys Füße bewegten sich keinen Zentimeter. Stattdessen blieb er wie angewurzelt stehen und musterte die Sprengladung. Sein Blick folgte dem Gewirr aus Drähten, als wäre es die Karte eines Labyrinths, und er verbrachte mehrere wertvolle Sekunden damit, die Kistenstapel zu untersuchen. Wie viel Zeit blieb ihm noch, bevor das ganze Ding in die Luft flog?

Komm schon, hau ab, ermahnte Jimmy sich selbst und fühlte den kalten Schweiß in seinem Nacken. *Es ist unmöglich, diese Bombe zu entschärfen.* Es gab weder eine tickende Uhr noch irgendwelche roten Ziffern, die einen Countdown herunterzählten. Und ganz bestimmt war da kein einfacher *Aus*-Schalter. Zudem hatten alle Drähte dieselbe Farbe – schwarz. Er bemerkte Tröpfchen von Kondenswasser auf den Glasröhren.

Natürlich, dachte er. *Nitro gefriert bei 14 Grad Celsius.* Üblicherweise war die Chemikalie flüssig, aber offenbar hatte man sie gekühlt, um sie leichter transportieren zu können. Gleichzeitig war Jimmy klar, dass Nitroglyzerin mit dem Auftauen instabiler wurde.

Vor Jimmys innerem Auge zeigte sich ein anderes

Bild des Kistenstapels. Einige der Kisten wurden für ihn sozusagen transparent. Blitzartig verstand er, wie diese Bombe zusammengesetzt war.

Gegen seinen Willen spürte er eine Art heimlicher Bewunderung. Irgendetwas in ihm begeisterte sich geradezu für diese kunstvolle Konstruktion. Nur ein einziger Auslösemechanismus war notwendig. Dieser würde eine elektrische Ladung durch die Drähte jagen, die Temperatur in jeder Glasröhre erhöhen und das Nitro in einer bestimmten Reihenfolge zum Schmelzen bringen. Diese geschickt aufgebaute Kettenreaktion würde die Gewalt der Explosion um das Hundertfache erhöhen.

Das Geniale daran war, dass die Bombe auf diese Art quasi sabotagesicher war. Der Auslöser war nirgendwo zu sehen – vermutlich lag er in der Mitte des Kistenstapels verborgen. Dann bemerkte Jimmy die winzigen goldenen Ringe an den Verbindungsstellen zwischen den Drähten und den Glasröhren. *Offenbar ein zweiter Auslösemechanismus,* dachte er. Jeder Versuch, die Drähte zu entfernen oder an den Zünder im Inneren zu gelangen, würde die Kettenreaktion vorzeitig starten. Es gab keinen Weg, das Ganze zu stoppen, und es war unmöglich zu sagen, wann es explodieren würde. Selbst seine außergewöhnlichen Agenteninstinkte verrieten ihm in diesem Moment nur eines: *Diese Bombe kann jederzeit hochgehen!*

Er rannte zurück und versuchte das Metallgitter vor der Einfahrt emporzustemmen. Er biss die Zähne zusammen und spannte jeden Muskel seines Körpers, doch es rührte sich keinen Millimeter. Jimmy ließ sich keuchend auf den Rücken fallen. Er kapierte das nicht. In der Vergangenheit war er mit Leichtigkeit selbst durch verstärkte Wände in Botschaften und Geheimdienst-Einrichtungen gebrochen – warum hatte ein normales Hochhaus so ein massives Sicherheitsgitter?

Er lief zum Häuschen des Parkwächters, um die Fernbedienung zu suchen. Sie lag auf dem Schreibtisch und war voller Blut. Jimmy zwang sich, es abzuwischen. Doch die Fernbedienung war nutzlos und bewirkte nichts.

Mit einem wilden Grunzen warf sich Jimmy erneut gegen das Metallgitter. Er trat darauf ein und schlug dagegen, bis das graue Metall dunkelrot beschmiert war. Die ganze Zeit über schrie er um Hilfe. Vergeblich. Als Jimmy schließlich aufgab, rang er nach Luft, und sein Gehirn raste. Es musste einen anderen Ausweg geben.

Er rannte auf die andere Seite des Parkdecks, zur Tür des Treppenhauses, das zu den Wohnungen führte. Jimmy riss die Tür ungeduldig auf, blieb dann aber wie angewurzelt stehen. Der Flur war vom Boden bis zur Decke mit Bauschutt gefüllt.

Jimmy starrte auf die riesigen Steinbrocken und Metallstangen, die den Ausgang versperrten, dann trat er mit dem Fuß wütend dagegen. Er schaffte es, einen Stein zu lösen, doch dahinter kam nur noch mehr Bauschutt zum Vorschein. Ihm blieb nicht die Zeit, sich durch diesen Schuttberg zu wühlen. In einem letzten Versuch, irgendwie die Aufmerksamkeit der Außenwelt zu wecken, schlug er mit der Handfläche gegen den Feueralarm. Weder Alarmklingeln noch Sirenen ertönten.

Jimmys wachsende Wut mischte sich mit nackter Angst. Seine Hände wollten zittern, aber seine innere Kraft hielt sie ruhig. *Wer waren die Männer, die diese Bombe gebaut und hierhergebracht hatten? Für wen hatten sie gearbeitet? Was hat es mit diesem speziellen Hochhaus auf sich?*

Jimmy schloss für eine Sekunde die Augen, um sich zu beruhigen, dann rannte er zurück zu dem weißen Lieferwagen. Sobald er vor den offenen Türen stand, spürte er eine Veränderung. Das Kondenswassser auf den Glasröhren war verschwunden. Als Jimmy die Handflächen an die Kisten hielt, waren sie etwas wärmer als vorher. *Das ist der Auslösemechanismus*, wurde Jimmy klar. Er wusste nicht, ob sein eigener Verstand oder seine Programmierung das herausgefunden hatte. Die Grenze zwischen beidem wurde beständig unschärfer.

Zwischen den Kisten musste ein einfaches Heizsystem verborgen sein. Es brauchte keinen Timer oder eine Fernzündung, denn sobald die Heizung eine bestimmte Temperatur erreicht hätte, würde der Sprengstoff im Kern instabil, die Kettenreaktion ausgelöst und das gesamte Wohnhaus in Schutt und Asche gelegt werden.

Er sah sich verzweifelt um und überlegte, ob er genug Wasser finden könnte, um die Explosion zu dämpfen. Aber in Wahrheit hatte er keine Ahnung, ob Wasser irgendeine sinnvolle Wirkung hätte, außerdem war sowieso nirgendwo ein Hahn in Sicht.

Die einzige verfügbare Flüssigkeit hier unten war Benzin – und zwar reichlich. Könnte Jimmy es benutzen, um die Kraft der Explosion zu mildern? Es schien verrückt, aber wenn er recht mit der Konstruktionsweise der Bombe hatte …

Jimmy stürzte zurück zum Häuschen des Parkwächters und hob die blutgetränkte Zeitung des Mannes vom Boden auf. Er nahm sie mit zum Lieferwagen und hielt sie gegen das Fenster auf der Fahrerseite, dann donnerte er seinen Ellenbogen fest dagegen. Er beugte sich durch das zersplitterte Glas, um die Handbremse zu lösen. Dann zog er, so vorsichtig er konnte, den Wagen an der Stoßstange aus seiner Parkbucht. *Wenn diese Bombe schon explodiert*, dachte Jimmy, *kann ich damit genauso gut das Metallgitter sprengen.*

Zuerst ließ sich der Lieferwagen nur mühsam bewegen, und Jimmy wollte nicht zu stark ziehen, um das auftauende Nitro nicht zu erschüttern. Aber dann dachte er daran, dass es stabil genug gewesen war, um durch die Straßen Londons zu fahren. Er lehnte sich mit dem Rücken gegen den Wagen und schob mit voller Kraft, dann sprang er zurück zur Fahrertür, um gleichzeitig zu schieben und zu lenken. Kurz darauf stand der Lieferwagen direkt vor dem Metalltor.

Jimmy wischte sich den Schweiß mit dem Ärmel aus dem Gesicht. Der Lieferwagen gab jetzt noch mehr Wärme ab. Er konnte es spüren. *Es wird nicht mehr lange dauern*, dachte Jimmy. Jetzt kam der schwierigere Teil. Jimmy schnappte sich den Tee-Becher aus dem Parkwächterhäuschen. Er dampfte immer noch und war mit Blut bespritzt. Jimmy schlug ihn gegen die Wand und benutzte den Henkel, um den Tankdeckel des Lieferwagens zu öffnen.

Mittlerweile war sogar die Außenseite des Lieferwagens zu heiß, um sie zu berühren. Mit der steigenden Hitze wuchs auch Jimmys Angst. Selbst wenn sein Plan funktionieren würde, würde er lediglich die Gewalt der Explosion mildern und sie nicht vollständig verhindern. Das hinterließ eine beunruhigende Frage: Er würde möglicherweise den Einsturz des Gebäudes verhindern, aber wie sollte er sich selbst in Sicherheit bringen?

Er ging zurück zur Vorderseite des Lieferwagens, riss das Polster des Fahrersitzes auf und zerrte eine Sprungfeder und Fäuste voller Schaumstoff heraus. Er wickelte den Schaumstoff um die Feder und ließ nur ein Ende zum Halten frei. Als er fertig war, bewunderte er seine Kreation: ein riesiges Zuckerwattestäbchen, das muffig roch. Dann stopfte er den Schaumstoff so tief wie möglich in den Tankstutzen und wartete, bis das Material sich mit Treibstoff vollgesaugt hatte.

Als er es herauszog, schlugen ihm die Benzindämpfe ins Gesicht. Sie verbanden sich mit dem Geruch des Nitroglyzerins und ließen sämtliche Alarmglocken in seinem Kopf schrillen. War das wirklich eine gute Idee? Er schluckte, nahm seinen ganzen Mut zusammen und kehrte zur Bombe zurück.

Jimmy benutzt die Polsterung wie einen Pinsel, tupfte die Drähte vorsichtig mit Benzin ab. Trotz seiner flatternden Nerven war seine Hand völlig ruhig. Als er sich zu den hinteren Drähten beugte, war seine Wange nur Millimeter von den Glasröhrchen entfernt. Die Hitze war jetzt noch stärker und Jimmy schwitzte heftig. Jede Sekunde konnte das Nitro den Flammpunkt erreichen – und Jimmy plante das Ganze noch zu beschleunigen.

Er eilte zurück zum Parkwächterhäuschen und fand schnell das Benötigte: Am Gürtel des Wachmannes hing eine Taschenlampe. Während er quer durch das Parkdeck zurückrannte, schraubte Jimmy die Kunststoffkappe von der Vorderseite der Taschenlampe.

Ein paar Meter vor dem Heck des Wagens hielt er inne und starrte auf die riesige Bombe. *Was mache ich da?*, dachte er verzweifelt. *Ich habe eine riesige Bombe mit Benzin getränkt.* In Jimmy herrschte Krieg. Doch seine vertraute menschliche Panik wurde von etwas anderem in den Hintergrund gedrängt – einem freudigen Gefühl der Erregung. Seine Konditionierung genoss die Hitze, die Gefahr und die Gelegenheit, eine massive Explosion auszulösen. *Nicht nur auszulösen*, versicherte sich Jimmy selbst. *Sondern sie zu kontrollieren.*

Das Entzünden des Benzins würde die Temperatur der Bombe um die kritischen Grade erhöhen und die Explosion starten. Doch in den Sekunden davor würde das Feuer zunächst die Drähte schmelzen, wodurch die raffiniert geplante Kettenreaktion zunichtewurde. Die Kisten mit Nitroglyzerin würden einzeln und in zufälliger Reihenfolge hochgehen und nicht als eine riesige, koordinierte Detonation.

Schließlich hielt Jimmy den Glühdraht des Birnchens gegen den mit Benzin getränkten Schaumstoff. Vorsichtig klickte er die Taschenlampe an und entzündete das Polstermaterial. Jetzt hielt er eine hell brennende Fackel in Händen.

Erneut starrte er in das Heck des Wagens. Diesmal schien das lodernde Licht seiner Fackel die Glasröhrchen zum Tanzen zu bringen, als wären sie hellauf begeistert über Jimmys Plan. *Vielleicht mache ich den größten Fehler meines Lebens,* dachte Jimmy.

Tu es einfach, befahl er sich selbst. Dann schleuderte er die Fackel auf die Bombe, wirbelte auf dem Absatz herum und rannte, was das Zeug hielt.

KAPITEL 6

BOOM!

Jimmy wurde von den Füßen gerissen. Die Hitze stach ihm in den Rücken und die ganze Welt verschwand in einem weißen Blitz. Er prallte gegen die Wand am anderen Ende des Parkdecks und stürzte zu Boden. Sein Gehirn schwappte in seinem Schädel.

Er rollte sich Schutz suchend hinter ein Auto, während ein Röhrchen Nitroglyzerin nach dem anderen detonierte, jedes lauter und heißer als das vorige. Zwischen den Explosionen sah Jimmy Flammen, die das Innere von Autos schmelzen ließen. Das Feuer verbog das Metall der Fahrzeuge, bis der Benzintank riss und eine zusätzliche Explosion verursachte. Jimmy bekam in dem schwarzen Qualm kaum noch Luft. Doch nur ein einziger Gedanke beschäftigte ihn: War es ihm gelungen? Die ursprünglich geplante Kettenreaktion hätte mit Sicherheit das ganze Hochhaus zum Einsturz gebracht. Im Vergleich dazu war das hier ein kleiner Unfall.

Doch dann kam eine Explosion, die so stark war, dass Jimmys Augäpfel zu platzen schienen. Sie jagte eine Erschütterung durch seinen ganzen Körper, rüttelte an seinen Knochen und presste seine Organe zusammen.

Für ein paar Sekunden konnte er nicht mehr atmen. Die Wand hinter ihm vibrierte. Ebenso der Boden. Auch die Säulen, die die Decke stützten, bröckelten.

Zuerst bildeten sich im Beton feine Risse, dann brachen Stücke heraus, und die Lücken wurden größer. Entsetzt verfolgte Jimmy, wie sich eine riesige Wolke aus grauem Staub mit dem Feuer und dem schwarzen Rauch vermischte. *Ich muss hier raus*, dachte er. Aber der einzige Ausweg führte durch das Rollgitter, vor dem nun der Lieferwagen stand. Das Metalltor war bei der ersten Explosion in Stücke gerissen worden, sodass es kein Hindernis mehr darstellte. Aber um rauszukommen, musste Jimmy direkt an der Bombe vorbei – während weitere Kisten mit Nitroglyzerin in die Luft flogen.

Es gab kaum noch Pausen zwischen den Explosionen. Die Hitze war zu groß und das Auftauen ging jetzt einfach zu schnell. Eine Detonation nach der anderen erschütterte das Gebäude. Jimmy taumelte jedes Mal, wenn eine weitere Explosion Schockwellen durch den Boden schickte. Um ihn herum regnete es Betonbrocken. Er konnte kaum einen Meter weit sehen. Seine Instinkte versuchten, seinen Lauf richtig zu timen, trotzdem rechnete er sich keine allzu großen Chancen aus.

Halb rennend, halb stolpernd, jagte Jimmy auf den Ausgang zu. *Ich kann es schaffen*, sagte er sich.

BOOM!

Jimmy wurde von einer gewaltigen Druckwelle in die Luft geschleudert. Die Welt verschwamm in einem orange-schwarzen Nebel aus Flammen und Rauch. Um sich herum spürte er nur noch mörderische Hitze, als käme sie von seiner Haut selbst. Jimmy wurde in einem riesigen Feuerball über die Straße geschleudert. Dann knallte er gegen etwas Hartes, und obwohl das Orange um ihn herum verschwand, fühlte er sich immer noch wie von Flammen eingeschlossen. Er hörte einen Schrei und erkannte, dass es seine eigene Stimme war, die sich mit den Schreien Hunderter anderer Leute vermischte.

Er fühlte, wie sich sein Körper vergeblich aufzurichten versuchte. Das Letzte, was er sah, war das Hochhaus, dem er gerade entkommen war. Eine Seite bröckelte, dann brach sie in sich zusammen.

Der Verkehr rund um den Trafalgar Square war noch dichter als üblich. Autos hupten, und Busse röhrten, während sie sich in den umliegenden Straßen stauten. Inmitten des Lärms, im Fußgängerbereich des Platzes, stand auf einer umgedrehten Plastikkiste ein großer, schlanker Mann in einem langen Militärmantel, ein Megafon vor seinem Mund.

»Mein Name ist Christopher Viggo«, verkündete er und zog die Aufmerksamkeit einer kleinen Menge auf sich. »Vielleicht haben Sie mich in den Nachrichten gesehen, und sofern Sie alles glauben, was Ihnen dort gesagt wurde, bin ich ein Feind Großbritanniens.« Er hielt inne und ein verwirrtes Gemurmel erhob sich. »Also bin ich hergekommen, um Ihnen zu erklären, was in diesem Land wirklich vor sich geht – und was man dagegen tun kann!«

Er sprach mit kontrollierter Leidenschaft wie eine wahre Führungspersönlichkeit. Georgie und Felix sahen nervös vom Rande der Menge aus zu.

»Da sollten mehr Leute sein«, murmelte Felix.

»Es werden noch welche kommen«, versicherte Georgie ihm. »Schau, da kommen immer mehr Neugierige.«

Sie wurde von ihrer Mutter, Helen Coates, unterbrochen.

»Mischt euch unter die Menge«, wies sie ihre Tochter an. »Bevor sie sich zerstreut. Nimm die da und verteile sie.« Sie reichte ihrer Tochter eine Schachtel mit Flugblättern, dann schlang sie ihren Mantel enger um sich. »Du auch, Felix.« Während sie sprach, blickte sie sich besorgt um. »Steckt sie einfach in die Taschen der Leute, wenn sie die Flugblätter nicht nehmen wollen.«

Bevor Georgie oder Felix antworten konnten, eilte Helen zurück zu Christopher Viggo, dessen Rede immer leidenschaftlicher wurde – und mit jeder Minute ein größeres Publikum gewann.

»Denkt Chris, dass er den *NJ7* mit Flugblättern schlagen kann?«, murmelte Felix und nahm sich eine Handvoll Zettel aus der Kiste in Georgies Hand.

»Er wird es wohl müssen, da die Leute ihn akustisch kaum verstehen können.« Georgie eilte zu einer Frau, die ein paar Meter von Viggos behelfsmäßiger Bühne entfernt stand.

»Was ist das nur für ein Verkehr?«, fragte Georgie. »Niemand kann Chris hören.« Sie sprach mit Saffron

Walden, Christopher Viggos Freundin und seiner Partnerin bei all seinen Kampagnen.

Diese wippte auf den Zehenballen, um sich warm zu halten. Eine Wollmütze bedeckte ihren Kopf, und ihr Mantelkragen war hochgeschlagen, sodass dazwischen nur noch ihre haselnussbraunen, funkelnden Augen zu sehen waren, die sich gegen ihre tiefschwarze Haut abhoben. »Der Verkehr wird immer schlimmer«, erklärte sie. »Anscheinend gibt es Straßensperren um Waterloo herum. Niemand scheint zu wissen, warum.«

»In dem Fall«, sagte Georgie, »muss Chris entweder lauter schreien oder wir sollten eine andere Stelle finden.«

»Sieht so aus, als sollten wir sowieso weiterziehen.« Saffron blickte zur anderen Seite des Platzes, wo ein Fernsehteam aufgetaucht war. »Sobald die Kameras auftauchen, ist auch die Polizei nicht mehr weit.«

»Werden sie Chris in die Nachrichten bringen?«, fragte Georgie.

»Das wäre gut für uns«, erwiderte Saffron. »Aber es hängt davon ab, ob der Sender es zeigen darf.« Sie winkte Viggo und nickte dann in Richtung der Südseite des Platzes, wo gerade drei Streifenwagen eintrafen. »Sieht aus, als hätte die Polizei ihre Anweisungen vom *NJ7* erhalten«, sagte sie zu Georgie. »Es ist Zeit zu verschwinden.«

Viggo brachte seine Rede zum Abschluss. Soweit Georgie ihn verstehen konnte, sprach er über die Gefahren einer Regierung, die nicht durch Wahlen legitimiert war.

Einige in der Menge reagierten mit vorsichtigem Lächeln und Nicken, während andere verwirrt oder sogar wütend wirkten.

Plötzlich schien der ganze Platz zu vibrieren. Es gab einen dumpfen Knall, der von den Gebäuden widerhallte und in Georgies Ohren vibrierte. Sie taumelte rückwärts und konnte gerade noch das Gleichgewicht halten. Auf dem Platz brach Chaos aus. Schreie übertönten den Verkehrslärm und überall zersplitterten Fenster. Mehrere Menschen waren gestürzt, aber sie wurden einfach weggestoßen, oder man trampelte über sie hinweg, während die Menge sich in alle Richtungen zerstreute. Als Georgie aufblickte, sah sie eine Rauchsäule über den Dächern aufsteigen. Sie wirkte wie eine riesige schwarze Spiegelung der weißen Nelson-Säule und war ebenso unübersehbar.

Immer noch völlig benommen rannte sie neben ihrer Mutter her. Sie drängten sich durch die Menge, um sich den anderen anzuschließen.

Felix und Saffron halfen Viggo, die Kisten mit den Flugblättern und sein Megafon vor der Massenpanik zu schützen.

»Was ist passiert?«, schrie Georgie.

»Keine Ahnung«, erwiderte Viggo ruhig. »Wir müssen von hier weg und einen Internetzugang finden.«

Jimmy erwachte kurz und verlor dann wieder das Bewusstsein. Vage nahm er die schreienden Schmerzen seines Körpers wahr, ebenso wie das Kribbeln seiner

Programmierung. Sie betäubte die Qualen. Sie hielt ihn am Leben.

Jimmy versuchte verzweifelt zu verstehen, was seine blitzlichtartigen Wahrnehmungen bedeuteten. Da waren Hunderte von Menschen, Sirenen, Blaulichter, Schreie. Dann merkte er, dass er sich bewegte – oder bewegt wurde.

Jemand hatte eine silberne Rettungsdecke um ihn gewickelt und ihn auf eine Trage gelegt. In den kurzen Phasen zwischen seinen Blackouts sah er die Gesichter anderer Menschen – einige davon Kinder. Viele waren ebenfalls in Rettungsdecken gewickelt oder lagen auf Tragen. Jimmy versuchte sich zu erinnern, wie das alles passiert war. Er wollte jemanden fragen, bekam aber nicht genug Luft. Bedeckte da etwas seinen Mund und seine Nase? *Ja*, dämmerte es ihm, *es war eine Sauerstoffmaske.*

Erneut driftete er weg, aber nur für ein paar Sekunden. Jetzt befand er sich im Heck eines Krankenwagens. Wer war da noch bei ihm? Sanitäter? Weitere Opfer der Explosion? Jimmys Verstand wurde von Fragen bestürmt. Wie hatte überhaupt jemand überleben können, als das Hochhaus eingestürzt war?

Allmählich spürte Jimmy, wie ein wenig Kraft in sein System zurückkehrte. Sein Körper fühlte sich vollkommen zerschmettert an, aber seine Programmierung arbeitete heftiger denn je zuvor und heilte ihn von innen heraus. Leider war er noch nicht stark genug, um den nächsten Blackout abzuwenden. Er knirschte mit den

Zähnen und wollte seine Augen offen halten, indem er sein Blinzeln kontrollierte. Aber ohne Erfolg.

Als er wieder zu sich kam, hörte er Stimmen. Sanitäter. Sie riefen das Krankenhaus an und beschrieben den Zustand des verletzten Jungen. *Die haben keine Ahnung*, dachte Jimmy. *Sie wissen nicht, wer ich bin, und sie wissen nicht, dass alle meine Verletzungen schneller heilen werden, als sie es je gesehen haben.*

Dann schnappte er im Ambulanzfunk das Wort »Tommy« auf und endlich kapierte er. Der Krankenwagen brachte ihn an den Ort, an den er schon die ganze Zeit verzweifelt gelangen wollte: in das St. Thomas' Hospital. Das war seine Chance zu überleben. Seine Verbrennungen konnten selbst heilen, aber seine Strahlenvergiftung war eine andere Sache.

Während die Sirene heulte, prickelte Jimmys Körper. Er wusste, dass er mit schrecklichen Verbrennungen übersät sein musste, trotzdem war es fast berauschend, dieses Kribbeln seiner verbrannten Haut zu spüren. Sein Kopf wurde von etwas festgehalten, und er konnte spüren, wie die Sanitäter fast jeden Teil von ihm mit einem kühlenden Verband bedeckten. Er stellte sich vor, wie seine Haut heilte, noch während sie ihn versorgten – eine zarte Rötung, unter der sich bereits neues gesundes Gewebe bildete.

Das Nächste, was Jimmy bewusst wahrnahm, war, wie der Krankenwagen in die Notfallbucht des Krankenhauses bog. Jimmy mobilisierte seine letzten Kräfte, um sich auf die Ellenbogen zu stützen. Die Sanitäter eilten herbei, um ihn wieder sanft nach unten zu drücken, doch zuvor erhaschte Jimmy einen Blick auf Hunderte von Menschen, die ins Krankenhaus strömten, einige stark blutend, einige gestützt, andere auf einer Trage wie Jimmy. Jimmy war entsetzt über die große Zahl der Verletzungen. Waren all diese Leute Opfer aus dem Hochhaus?

Obwohl es noch hell war, wurde die ganze Szenerie zusätzlich von einem starken Scheinwerfer auf dem Dach eines Fernseh-Übertragungswagens erleuchtet. Jimmy sah die Nachrichtenreporterin mit dem Rücken zum Chaos in eine Kamera sprechen. Der Übertragungswagen des Senders schien schon vor den Krankenwagen angekommen zu sein. Wie war das möglich?

Jimmy hörte seine eigene Stimme durch seinen Schädel hallen wie ein entferntes Echo. Dann wurde die Sauerstoffmaske wieder auf sein Gesicht gedrückt und eine weitere Flutwelle der Dunkelheit überrollte ihn.

KAPITEL 7

Eva Doren saß allein in Miss Bennetts Büro und wartete. Obwohl sie erst vierzehn war, war sie für die Chefin des *NJ7* unentbehrlich geworden – Assistentin, Sekretärin, persönlicher Schützling in einem. Sie hielt Notizblock und Stift für ihr übliches Diktat bereit. Aber dieses Mal fühlte sich etwas anders an. Zunächst war da die Dringlichkeit, mit der sie herbeigerufen worden war, dann der Aufruhr in den *NJ7*-Korridoren. Die Atmosphäre war mehr als nur geschäftig. Die Leute schienen verängstigt. Und es war das erste Mal, dass Miss Bennett nicht in ihrem Büro auf Eva gewartet hatte.

Eva studierte die Wände. Alle Räume im *NJ7*-Hauptquartier sahen ähnlich aus – grauer Beton, auf dem nur die frei liegenden elektrischen Leitungen für einen Farbtupfer sorgten. Es gab keine Fenster – der *NJ7* residierte in einem Labyrinth von Tunneln unter Westminster.

Miss Bennett hatte offensichtlich ihr Bestes getan, um ihr Büro zu verschönern. An den Wänden hingen Postkarten alter Gemälde von Pferden und direkt hinter ihrem Schreibtisch ein riesiger Union Jack. Ebenso wie die Fahne im Kabinettsraum hatte auch diese einen zusätzlichen vertikalen grünen Streifen in der Mitte.

Aber Eva achtete nicht auf die Dekoration. Sie versuchte wieder einmal herauszufinden, ob dieser Raum, wie der Rest des Hauptquartiers, von Sicherheitskameras überwacht wurde. Anderswo waren die Kameras sichtbar. Hier drin waren sie entweder gut versteckt oder es gab keine. Und wenn es keine gab, dann war das Evas erste Chance, Miss Bennetts Geheimnisse zu erforschen.

Natürlich wusste Eva bereits mehr, als sie eigentlich hätte wissen dürfen. Schließlich hatte Miss Bennett sie fast überallhin mitgenommen. Aber das war für Eva nicht genug. Sie stand beiläufig auf, als wollte sie sich nur die Beine vertreten. Ihre Suche nach Kameras durfte nicht verdächtig wirken. Ihr Schädel pochte. Irgendwo in diesem riesigen Schreibtisch könnte es Pläne bezüglich Jimmy Coates oder seiner Familie geben, oder wie Miss Bennett Jimmys Angehörige dafür bestrafen wollte, dass sie ihm beim Untertauchen geholfen hatten. Während Eva ihre Suche begann, breitete sich Unbehagen in ihrem Körper aus, bis ihr Magen schmerzte. Ihr wurde ganz übel bei der Vorstellung, ein Dokument mit den Namen ihrer Freunde zu finden – möglicherweise sogar mit dem ihrer besten Freundin Georgie Coates.

Sie umrundete den Schreibtisch, musterte mit weit aufgerissenen Augen die Schubladen und ging dann zurück zu ihrem Stuhl. Die Laden waren wahrscheinlich verschlossen, aber möglicherweise war es einen Versuch wert. Eva wusste, dass sie es sich nie verzeihen würde, wenn der *NJ7* Jimmy oder seiner Familie einen Schaden zufügte, den sie hätte verhindern können. Schließlich war sie nur deshalb hier. Sie lebte in der ständigen Angst, der *NJ7* könnte entdecken, dass sie eine Verräterin war, die undercover für die Feinde der Regierung arbeitete. Aber dieses Risiko war es wert, wenn sie etwas finden konnte, das Jimmy wirklich half oder die Herrschaft der gegenwärtigen Regierung beenden und durch eine echte Demokratie ersetzen würde. *Ja*, dachte Eva, *ich muss es riskieren. Es könnte das erste und letzte Mal sein, dass ich in diesem Büro allein bin.*

Erneut erhob sie sich. Ihre Hände zitterten und sie konnte ihren Bleistift kaum halten. Ihre Beine waren plötzlich steif, aber sie zwang sich, sie zu bewegen, und trat um den Schreibtisch.

»Entschuldige, dass ich dich habe warten lassen, Eva.« Miss Bennetts Stimme bohrte sich wie ein Dolch in Evas Brust und raubte ihr den Atem. »Ich habe einige Mitglieder der Presse über die Explosion informiert.« Eva wusste nichts von einer Explosion, daher ergaben Miss Bennetts Worte für sie keinen Sinn. Bei deren plötzlichem Eintreffen war Eva wie angewurzelt stehen geblieben.

Die Chefin des *NJ7* kam herein und nahm hinter ihrem Schreibtisch Platz. Erst jetzt begann Eva sich zu fragen, *was* explodiert war.

»Bitte notiere dir alles genau, Eva«, begann Miss Bennett. »Du musst ein Memo mit folgenden Informationen rausschicken …«

Als Jimmy endlich zu sich kam, versuchte er herauszufinden, wie viel Zeit vergangen war. Die Geräusche des Krankenhauses hatten sich verändert. Alles war viel ruhiger, keine Schreie mehr, nur das Brummen der Heizung und das ferne Klappern eines Wagens draußen im Flur.

Instinktiv scannte er seinen ganzen Körper, spürte die Verbände und testete sanft seine Gelenke und Muskeln. Erst jetzt bemerkte er den leichten Druck eines Mullverbands, der bis auf ein Mundloch und zwei Löcher für die Augen seinen ganzen Kopf bedeckte.

Als seine Erinnerungen zurückkehrten, musste Jimmy die sofort aufsteigende Panik eindämmen. Wie viele Menschen in dem Gebäude hatten die Explosion überlebt? Vorsichtig richtete er sich auf, bis er im Bett saß. Seine Schmerzen waren viel weniger stark als zuvor, und es lag nicht nur daran, dass sein außergewöhnlicher Organismus ihn betäubte. Er musste tatsächlich einen gründlichen Heilungsprozess vollzogen haben. Wie lange lag er schon im Krankenhaus?

Die Station war überfüllt. Zusätzliche Betten waren hineingequetscht worden und alle waren mit Kindern und Jugendlichen besetzt. Der Junge im Bett links von Jimmys sah etwas jünger aus als er selbst. Auch er saß, und Jimmy konnte nicht sofort sehen, welche Verletzungen er erlitten hatte. Jimmy wusste, dass dies die perfekte Gelegenheit war, Informationen zu sammeln, aber er fühlte sich unsicher. Er war schon so lange nicht mehr in Gesellschaft von Menschen gewesen, die auch nur im

Entferntesten sein Alter hatten. Er fühlte sich völlig fehl am Platz.

»Hey«, sagte er und hörte die Nervosität in seiner eigenen Stimme. Er versuchte sich daran zu erinnern, wie sich ein normaler menschlicher Junge verhielt.

Sein Nachbar drehte sich um und sah ihn an. Jimmy schauderte – die linke Hälfte seines Kopfes war in einen großen Verband gehüllt. Der Junge sah aus, als hätte man sein Gesicht in die Hälfte eines riesigen Tischtennisballs gesteckt.

»Keine Sorge«, sagte der Junge lächelnd. »Anscheinend schaut es übler aus, als es ist. Es tut nicht wirklich weh. Ich gehe in ein paar Stunden nach Hause.« Dann schien ihm plötzlich etwas klar zu werden. »Oh, warte. Nicht nach Hause, aber weg von hier. Unser Haus wurde in die Luft gesprengt!«

Nach Hause, dachte Jimmy. Das Wort legte sich tonnenschwer auf seine Brust. Außer ihm hatte jeder auf dieser Station ein Zuhause, und selbst wenn es in die Luft gejagt worden war, würden sie ein neues finden. Jimmy hätte am liebsten mit einem von ihnen getauscht.

»Bist du aus dem Hochhaus?«, fragte er, um seine Gedanken zu verdrängen.

»Äh, klar doch«, kam die Antwort. »Jeder hier kommt von da. Ich dachte, du auch.«

»Oh, ja, sicher.« Jimmy ermahnte sich, besser aufzupassen. Er hatte bereits Sorge, dass die Ärzte etwas Ungewöhnliches an ihm bemerkt haben könnten. Er wollte unbedingt vermeiden, das Misstrauen der anderen Patienten zu wecken. »Ich heiß Michael«, log er instinktiv, um seine wahre Identität zu verschleiern.

»Hi, Michael«, antwortete der Junge. »Ich heiße Iqbar.« Er lachte nervös. »Das muss sehr wehtun.«

Jimmy legte die Hände auf sein Gesicht, aber beide waren komplett bandagiert. Er hatte vergessen, dass er eingewickelt war wie eine ägyptische Mumie. Immerhin fiel es ihm dadurch leichter, Fragen zu stellen. Schließlich konnte man ihn nicht erkennen.

»Nein«, antwortete Jimmy. »Es tut nicht sehr weh. Du weißt schon – sieht übler aus, als es ist.« Er nickte beiläufig und versuchte zu lächeln, war sich aber nicht sicher, ob das überhaupt sichtbar war. »Also …« Er zögerte, unsicher, wie er die Frage stellen sollte. »Sind die Menschen auf dieser Station die einzigen, die überlebt haben?«

Iqbar legte verwirrt die Stirn in Falten. »Alle haben überlebt bis auf den Parkplatzwächter«, sagte er, als wäre es die natürlichste Sache der Welt. »Es war sonst niemand im Gebäude, als es einstürzte.«

Jimmy glaubte, sich verhört zu haben. Vielleicht lag es an den Bandagen, die seine Ohren bedeckten.

Aber dann fuhr Iqbar fort. »Wir sind alle rausgekommen. Jemand hat den Feueralarm ausgelöst, und wir dachten erst, es wäre nur eine Übung. Aber das war es nicht. Offensichtlich.«

Der Feueralarm? Jimmys Verstand raste. Hatte er vielleicht doch alle gerettet? War das möglich? Er erinnerte sich vage daran, mit der Hand gegen den Feuermelder geschlagen zu haben. Da sich nichts gerührt hatte, hatte er angenommen, die Attentäter hätten ihn deaktiviert. Doch offenbar hatten sie es versäumt. Hatte Jimmy tatsächlich so viel Glück gehabt?

Nein, sagte er sich selbst, *kein Glück*. Es war die besondere Kraft in ihm, die ihn dazu gebracht hatte, den Feueralarm auszulösen, und das war es, was alle gerettet hatte. Nicht zum ersten Mal spürte Jimmy diese seltsame Mischung aus Erleichterung und Angst. Aber er verstand immer noch nicht, was vor sich ging oder warum genug Zeit für die Evakuierung geblieben war, bevor die Bombe hochging.

»Aber was ist mit all den anderen Leuten, die zur selben Zeit wie ich hergebracht wurden …«, fragte er.

»Genau«, antwortete Iqbar sachlich. »Da waren eine Menge Leute. Das kommt, weil das halbe Gebäude eingestürzt ist. Da sind Glas und Steine auf uns herabgeregnet und eine Menge Leute haben sich ein bisschen verbrannt.« Er neigte sich zu Jimmy und zeigte dramatisch auf seinen Verband. »Ich hätte fast ein Auge verloren«, rief er aus. »Stell dir nur vor, das gesamte Gebäude wäre eingestürzt. Aber zum Glück war die Bombe nicht in der Mitte des Parkdecks, sondern am Eingang, daher hat sie nicht so viel Schaden angerichtet.«

Und noch mal Glück, dachte Jimmy erleichtert.

»Wir standen alle da und sahen zu, wie es einstürzte«, fuhr Iqbar fort. »Und ich habe alle gewarnt, dass es bescheuert ist, so nah am Haus zu stehen, aber sie haben mir nicht geglaubt.« Er zuckte mit den Achseln.

»Wie auch immer. Du kennst das sicher. So ist es nun mal.«

»Ja, ich weiß, wie das ist«, sagte Jimmy beiläufig, während ihm ein riesiger Stein vom Herzen fiel. *Er* hatte das getan. Ohne zu wissen, ob es eine Wirkung haben würde, hatte er den Feueralarm ausgelöst und die Bombe an die Stelle gebracht, wo sie am wenigsten Schaden anrichten konnte. *Ich habe sie gerettet*, dachte Jimmy ungläubig. *Ich habe alle gerettet*. Es war das erste Mal, dass er mit seinen Agentenfähigkeiten etwas wirklich Positives bewirkt hatte. Seine Freude wurde allerdings etwas gedämpft, als ihm einfiel, dass die Bombenleger und ihre Helfer immer noch frei da draußen umherliefen. Und Jimmy hatte keine Ahnung, wer sie waren.

»Wer hat die Bombe dort gelegt?«, fragte Jimmy leise.

Iqbar sah Jimmy an, als wäre er von einem anderen Planeten. »Wer denkst du denn?« fragte er höhnisch. »Es waren die Franzosen.«

»Die Franzosen?«, keuchte Jimmy.

»Ja. Klar. Wir wussten es sofort.«

»Was ist mit dem Metalltor vor der Tiefgarage?«, fragte Jimmy. »War das schon immer da?«

»Nein, die Bauarbeiter haben das erst heute Nachmittag eingebaut. Hast du sie nicht gesehen? Das sind die, die auch das Treppenhaus mit Steinen und so gefüllt haben.« Iqbar schüttelte langsam den Kopf. »Ich hätte wissen müssen, dass es die Franzosen waren.«

Jimmy versuchte sich einen Reim auf das alles zu machen. Würde Frankreich wirklich versuchen, normale Bürger in die Luft zu jagen? Und wie hatten sie es geschafft, einen solchen Angriff zu organisieren, ohne dass die britischen Sicherheitskräfte Wind davon bekamen?

Dann begann sein Herz wild zu pochen. Alles war außer Kontrolle geraten. Was, wenn die Briten bereits eine Vergeltungsaktion planten? Als sie kürzlich dachten, die Franzosen hätten eine britische Ölplattform gesprengt, hatten sie sich mit einem Angriff auf eine französische Uranmine revanchiert. Jimmy fürchtete, dass jede Sekunde ein britischer Lieferwagen mit Sprengstoff in den Keller eines Hochhauses in Paris fahren könnte. Es musste endlich aufhören. Es gab keinen Grund für diesen Krieg.

Ich muss hier raus, dachte er. Er wusste, dass der Angriff auf das Hochhaus nur ein Teil eines eskalierenden Krieges zwischen Großbritannien und Frankreich war – mit Jimmy zwischen den Fronten. Er hoffte verzweifelt, dass jemand da draußen seine Botschaft über die wahren Hintergründe des Ölplattform-Attentats verbreitete, trotz dieses vermeintlichen Anschlags der Franzosen.

Jimmy beugte seine Arme, dann fühlte er sich kräftig genug, um die Drähte und Schläuche, die ihn mit der Maschine neben dem Bett verbanden, zu lösen und seine Beine seitlich aus dem Bett zu schwingen.

»Hey«, protestierte Iqbar. »Was machst du da?«

»Danke für das Gespräch, Iqbar«, antwortete Jimmy, während er die Krankenschwestern am Ende der Station beobachtete und überlegte, wie er unbemerkt entkommen könnte. »Ich hoffe, dein Auge kommt wieder in Ordnung.«

»Gehst du zum Automaten?«, fragte Iqbar.

Jimmy antwortete nicht.

»Bringst du mir ein paar Chips mit?«

Jimmy blendete Iqbars Stimme aus. Er wollte nicht an seinen besten Freund Felix erinnert werden – oder daran, dass sein eigener Magen knurrte. *Konzentriere dich*, ermahnte er sich. *Tu, wozu du hier bist.* Er musste die Wehwehchen seines Körpers ignorieren – die Verbrennungen und Prellungen. Er sammelte seine Kräfte und bereitete sich darauf vor, jemanden – irgendjemanden – zu finden, der sich mit Strahlenvergiftungen auskannte. Das Problem war, er hatte keine Ahnung, wie er das anstellen sollte.

Jimmy schlüpfte unbemerkt aus dem Krankenzimmer, aber auf dem Flur musste er erkennen, dass seine Verletzungen doch nicht so gut verheilt waren wie gedacht. Jede Verlagerung seines Körpergewichts jagte höllische Schmerzen durch sein Nervenkostüm. Als ob das nicht schon schlimm genug wäre, war sein ganzer Körper mit straffen Verbänden umwickelt, die rasche unauffällige Bewegungen fast unmöglich machten.

Er lief, so schnell er konnte, doch immer wieder begegneten ihm auf dem Flur Leute. Dann musste er sofort sein Schlurfen verlangsamen und den Kopf senken. Er konnte nur hoffen, dass die Krankenhausmitarbeiter zu beschäftigt waren, um zu bemerken, dass ein Patient in offensichtlich kritischem Zustand sein Bett verlassen hatte.

Leider hatte er kein Glück. Gleich die erste Krankenschwester, der er begegnete, musterte ihn irritiert. Die nächste verlangsamte sogar ihr Tempo, um ihm nachzuschauen. Jimmy blieb nicht viel Zeit. Im Gehen versuchte er verzweifelt, seine Verbände zu lockern und sich auszuwickeln. Wenn er den Aufzug am Ende des Korridors erreichen könnte, würde er darin sein Aussehen ändern, in eine andere Etage fahren und dann nach einer Art Informationstafel suchen, die ihm einen Hinweis auf die von ihm gesuchte Station geben würde.

Dann hörte er schnelle Schritte hinter sich. Als er sein Tempo beschleunigte, taten sie es auch. Er konnte spüren, wie sich seine Konditionierung meldete. Sie skizzierte ein Bild der Person auf seinen Fersen – männlich, etwa 180 Zentimeter groß, schlank gebaut … Sie errechnete auch den optimalen Zeitpunkt, um herumzuwirbeln und diese Person auszuschalten.

Jimmy lief weiter, machte noch größere Schritte und bemühte sich, dabei entspannt auszusehen. Aber auch der hämmernde Rhythmus der Schritte hinter ihm beschleunigte. Sie kamen immer näher und näher. Wenn er nur das Ende des Korridors erreichen könnte …

Jimmy hörte jetzt den Atem des Mannes dicht hinter sich. Er wagte nicht, sich umzudrehen. Er hatte Angst, dass er die Kontrolle verlieren und diese Person außer Gefecht setzen würde, bevor der wieder Luft holen konnte. Stattdessen hastete er weiter. Doch dann war

Jimmy selbst außer Gefecht gesetzt – durch die ruhige, tiefe Stimme des Mannes.

»Hallo, Jimmy Coates. Wir müssen uns kurz unterhalten.«

KAPITEL 8

Jimmy drehte sich langsam zu dem hoch über ihm aufragenden Mann um. Der übrige Korridor war urplötzlich menschenleer.

»Woher wissen Sie, wer ich bin?« fragte Jimmy leise.

»Das wusste ich nicht, bis du es mir gerade bestätigt hast. Aber es war eine fundierte Vermutung.«

Jimmy war für einen Moment verwirrt, aber dann fiel sein Blick auf den braunen Ordner in der Hand des Mannes. Offensichtlich handelte es sich um einen leitenden Arzt, der sich in seiner Krankenakte Jimmys Heilungsprozess angesehen hatte. Es musste eine interessante Lektüre gewesen sein.

Der Arzt streckte langsam seine Hand aus. Sanft entwirrte er die Bandagen um Jimmys Kopf. Es kostete Jimmy einige Mühe, es zuzulassen. Seine Konditionierung rebellierte bei jeder Berührung.

Endlich lag sein Gesicht frei. Der Arzt musterte ihn eingehend und biss sich dabei auf die Unterlippe. Seine Augen blitzten in seinem ledrig wirkenden Gesicht – zu braun, zu viele Falten. Sein Haar war dunkelgrau und fein säuberlich geschnitten.

»Ich hörte Gerüchte«, murmelte er leise. »Ich verfolgte vor einigen Jahren die Forschungsberichte in den Fachzeitschriften. Es war faszinierend. Dann wurde es plötzlich still um das Projekt, und ich fragte mich, was wohl passiert war. Viele von uns haben das getan. Das ist so lange her. Aber als ich sah, wie die Regierung einen Jungen für ein Attentat verantwortlich machte, für das Chaos, da fragte ich mich ... Ich bekam ernsthafte Zweifel ...«

Jimmy macht keinen Mucks. Seine Agenteninstinkte drängten ihn loszuschlagen, diesen Mann nierderzuschlagen und wegzulaufen.

Der Arzt schüttelte ehrfürchtig den Kopf. »Zuerst dachte ich, jemand hätte lauter Fehler gemacht.« Er deutete auf seine Akte. »Du weißt schon – Fehldiagnosen, Irrtümer.« Sein Gesichtsausdruck verdüsterte sich. »Bis ich die Möglichkeit einer übermenschlich raschen Genesung in Betracht zog.«

»Diese Möglichkeit besteht immer«, erwiderte Jimmy leise. Er konnte nur erahnen, wie sein eigenes Gesicht jetzt aussah. Es war heiß und kalt zugleich – es kam ihm vor, als ob er eine zu enge Haut trüge, aber es war nicht allzu schmerzhaft.

»Doktor, als man mich herbrachte ...« Jimmy hielt kurz inne und wartete, bis der Arzt die Untersuchung abbrach und ihm seine volle Aufmerksamkeit schenkte. »Hat man mich da auf Strahlenvergiftung getestet?«

Die Miene des Arztes versteinerte.

»Ich glaube, ich bin jetzt bereit für diese kleine Unterredung«, fügte Jimmy hinzu.

Im obersten Stockwerk des Krankenhauses betraten Jimmy und der Arzt ein leeres Krankenzimmer.

»Das ist die abgelegenste Station, die wir haben«, sagte der Arzt. »Sie ist eigentlich geschlossen.« Er zeigte auf eine Ecke, wo ein Haufen Tücher, Eimer, ein Mopp und Klempnerwerkzeuge die halbe Geschichte erzählten. Der Geruch verriet den Rest.

»Es ist nur eine Vorsichtsmaßnahme«, fuhr der Arzt mit leichter Panik in der Stimme fort, »falls du noch Spuren von radioaktiven Substanzen in deinem System hast.«

»Das habe ich nicht«, beruhigte Jimmy ihn und wünschte, er wäre sich selbst sicherer gewesen.

»Okay, das ist gut. Das würde bedeuten, dass du niemandem mehr schaden kannst, aber wir sollten auf alle Fälle einen Bluttest machen. Sofern du mich nicht kontaminiert hast, gehen wir davon aus, dass du auch für andere keine Gefahr bist. Dann können wir dich auf einer der Stationen behandeln.« Rasch lief der Arzt zu einem Schränkchen, riss umständlich die Verpackung einer Spritze auf und entnahm eine Probe seines eigenen Blutes.

Jimmy war erstaunt, dass selbst so ein erfahrener Mann dabei zitterte.

»Ist dir übel?«, fragte der Mann.

Jimmy schüttelte den Kopf.

»Hast du dich übergeben?«

»Ich habe nichts gegessen«, antwortete Jimmy. »Haben Sie vielleicht Chips oder so was?«

Der Arzt ignorierte ihn und plapperte in Gedanken versunken weiter: »Wenn du eine Strahlenkrankheit hättest, würdest du dich übergeben, dir wäre elend, deine Haare würden ausfallen … Du würdest möglicherweise sogar im Mund bluten. Es hängt von der Höhe der Dosis ab. Bist du müder als normal?«

Jimmy zuckte mit den Achseln. *Normal.* Das Wort hallte in seinem Kopf wie ein spöttisches Lachen.

»Egal«, sagte der Arzt. »Wir können es ohnehin nicht sicher wissen, bevor wir es nicht getestet haben. Komm!« Erneut flatterte er zu dem Schränkchen. »Ich komme nicht näher als nötig, du kannst dir selbst Blut abnehmen.«

Jimmy war verblüfft, zerrte dann aber an dem Verband, um seine Hände zu befreien und den Unterarm für die Blutentnahme freizulegen. Er zog eine Grimasse, als er seine Haut sah. Sie war rot und grau marmoriert. Sie wirkte wie ein Schlachtfeld, auf dem die Explosion seine Haut verbrannt und sein Körper sie wieder zu heilen versucht hatte. Jimmy zwang sich, seine Verbrennungen zu ignorieren. Ruhig packte er die Spritze aus und schob, ohne zu zögern, die Kanüle in den Arm. »Wenn Sie Gerüchte darüber gehört haben, wer und was ich bin«, sagte Jimmy und versuchte, entspannt zu klingen, um den Arzt zu beruhigen, »dann haben Sie vielleicht auch die Wahrheit darüber gehört, warum Großbritannien und Frankreich in den Krieg ziehen.«

»Die Wahrheit?«, spottete der Arzt. »Das mag deine Wahrheit sein, mein Junge, aber der Rest dieses Landes weiß sehr wohl, dass die Franzosen eine Bedrohung sind und diese Regierung ihr Bestes tut, um die Nation zu verteidigen. Wenn du Lügen verbreitest, bringt das alle aufrechten britischen Bürger in Gefahr. Schau dir an, was heute passiert ist! Die Franzosen haben ein Londoner Hochhaus in die Luft gejagt! Glaubst du immer noch, wir können alle Freunde sein?«

Jimmy legte die Spritze mit dem Blut in eine Schale. Vielleicht hatte der Arzt recht. Und vielleicht war die heutige Explosion der Beweis, dass Jimmy die ganze Zeit unrecht gehabt hatte. Es spielte keine Rolle, wer wofür verantwortlich war – die beiden Nationen waren dazu bestimmt, in den Krieg zu ziehen, und niemand konnte sie aufhalten, bis sie sich gegenseitig vernichtet hatten. Einfach, weil sie die Macht dazu besaßen.

»Ich glaube das nicht«, widersprach Jimmy plötzlich, als würde er auf seine eigenen Gedanken antworten. Auch wenn die gesamte britische Regierung verrücktspielte, und ebenso die französische, hielt Jimmy es für möglich, dass es genug vernünftige Menschen in beiden Ländern gab, um den Krieg zu verhindern. Aber im Gegensatz zu den Regierungen war die einzige Macht des Volkes die Wahrheit – und Jimmy konnte sie verbreiten.

Der Arzt schnappte sich die Spritze, barg sie in seiner Hand und starrte auf das Blut.

»Ich werde hier drin ein paar erstaunliche Dinge finden, nicht wahr?«, sagte er mit großen Augen. Dann blickte er nervös zu Jimmy. »Ich muss das ins Labor bringen, aber …«

»Es ist okay«, sagte Jimmy. »Ich verspreche, ich gehe nirgendwo hin. Ich werde hier warten.«

Die Erleichterung des Arztes war offensichtlich. Auf dem Weg nach draußen zog er ein Schutztuch von einem Fernsehapparat und schaltete ihn ein. »Das Programm bestimmen die unten an der Rezeption, fürchte ich«, erklärte er im Gehen.

Jimmy war nicht in der Stimmung für Unterhaltung, trotzdem fesselte der Bildschirm schnell seine Aufmerksamkeit. Er konnte sich nicht erinnern, wann er das letzte Mal eine Fernsehsendung gesehen hatte. Es fühlte sich an wie eine Verbindung zu seinem alten Leben – obwohl es keinen Ton gab und es die gehasste Nachrichtensendung der *Corporation* war. Der einzige zugelassen Fernsehsender des Landes war strikt regierungstreu und entsprechend langweilig und fragwürdig sein Programm.

Sie zeigten Bilder des eingestürzten Hochhauses. Die Hälfte des Gebäudes stand noch, die Küchen und Schlafzimmer der Menschen waren in der Mitte aufgerissen, als ob Godzilla den Rest verschlungen hätte. Jimmy war fasziniert. Es war so seltsam, alles noch einmal von außen zu sehen. Aber kein Bild konnte die Hitze, den Lärm oder das Licht einfangen, und Jimmys Schädel drohte zu platzen, wenn er daran zurückdachte.

Dann wechselte das Bild zu den Verletzten, die ins Krankenhaus gebracht wurden. Es dauerte ein paar Sekunden, bis Jimmy die Bilder mit den Dingen verbinden konnte, die er selbst durchlebt hatte. Einer dieser Krankenwagen war jener, der ihn hierhergebracht hatte. Jimmys Erinnerungen daran waren verschwommen und chaotisch. Er musste für einen Moment die Augen schließen, um sie zu sortieren. Als er sie wieder öffnete, waren die Nachrichten zum nächsten Punkt übergegangen. Ein unglaublich großer, indianisch aussehender Mann sprach bei einer Pressekonferenz. Der Text lief am unteren Rand des Bildes vorbei: PM IAN COATES KOLLABIERT, INS KRANKENHAUS EINGELIEFERT. WILLIAM LEE FORDERT ZUR RUHE AUF.

Jimmys Brust krampfte sich zusammen. Er starrte auf die sich beständig wiederholenden Worte, als ob sie beim zweiten, dritten oder vierten Mal eine neue Bedeutung bekämen. Er suchte nach dem Lautstärkeregler, aber es gab keinen. Vermutlich wurde der Ton von einem zentralen System aus gesteuert. Er blinzelte hektisch, als ob die Bilder seine Augen reizten. Was war Ian Coates zugestoßen? Hatte jetzt dieser William Lee das Sagen? Wer war dieser Mann? Jimmy hatte noch nie von ihm gehört.

Er zwang sich, auf William Lees Mund zu starren, um etwas von seinen Lippen abzulesen, doch die Kamera schnitt zu oft weg. Aber noch aus einem anderen Grund konzentrierte Jimmy sich verzweifelt auf Lee. Er wollte sich von dem Rumoren in seinem Bauch ablenken und dem Pfeifen in seinen Nebenhöhlen. *Er ist nicht mein richtiger Vater*, erinnerte sich Jimmy und versuchte die aufsteigenden Gefühle zu unterdrücken. Aber er verlor den Kampf. Er hasste sich dafür, dass ihn die Gesundheit von Ian Coates immer noch kümmerte.

Zafi Sauvage hockte im Schneidersitz ganz oben auf einem Stockbett, während im Schlafsaal der Jugendherberge ein reges Kommen und Gehen herrschte.

»Oh, so ein süßes Häschen«, säuselte ein Teenagermädchen, das in Zafis Händen ein Plüschtier entdeckt hatte. Sie zeigte auf das kleine T-Shirt des Hasen und kicherte. Dort stand ICH MAG DICH in leuchtend roten Buchstaben. »Wie ist sein Name?«

Zafi starrte das Mädchen ausdrucklos an und rammte dann ihr Taschenmesser in die Brust des Hasen.

Das Mädchen wich erschrocken zurück und rannte aus dem Zimmer.

Zafi musste kichern. Sorgfältig erweiterte sie den Schlitz in der Mitte ihres neuen Spielzeugs und öffnete einen Hohlraum in der Füllung. Das Kaninchen war perfekt geeignet für diese Aufgabe – einfach zu handhaben, leicht zu verbergen und etwa so groß wie eine Handgranate. Sie war gerade im Begriff, mit höchster Vorsicht den Sprengstoff in seinem Inneren zu platzieren, als ihr Handy vibrierte. Das musste ihr Kontaktmann bei der *DGSE* sein. *Können sie mir nicht einfach vertrauen und mich in Ruhe weitermachen lassen?*, dachte sie bei sich. Gleichzeitig ging es natürlich absolut in Ordnung, ihr nach dem Scheitern ihrer letzten Mission gründlich auf die Finger zu schauen.

Sie überprüfte die Meldung, eine weitere codierte

Nachricht des französischen Geheimdiensts. Aber während sie die Buchstaben und Zahlen neu anordnete, um ihre Bedeutung zu entschlüsseln, wuchs Zafis Verwirrung. Ihre Chefs gratulierten ihr. »Gute Arbeit«, hieß es in der Nachricht. »Ist die Mission abgeschlossen?«

Zafi musste die Botschaft mehrmals lesen, nur um sicherzugehen, dass sie diese richtig entschlüsselt hatte. *Die Mission hat doch noch nicht einmal begonnen*, dachte sie verwirrt. Sie rief verschiedene Funktionen ihres Handys auf, um Zugriff auf den Newsfeed der *Corporation* zu erhalten. Und da entdeckte sie, dass ihre Mission gerade komplizierter geworden war: Ian Coates war zusammengebrochen – und das hatte nichts mit ihr zu tun.

Das Klicken der Tür ließ Jimmy zusammenzucken. Der Arzt trat ein. Jimmy wandte sich ab und wischte sich die Augen.

Als er spürte, wie rau seine Haut war, bereute er es sofort.

»Was ist da los?«, fragte er, immer noch ohne Augenkontakt herzustellen.

»Meinst du das ernst?«, antwortete der Arzt und deutete auf den Fernseher. »Du weißt nicht, dass der Premierminister zusammengebrochen ist?«

»Doch, natürlich«, fauchte Jimmy durch zusammengebissene Zähne. »Lesen ist eine Fähigkeit, die ich schon seit einiger Zeit beherrsche. Was genau stimmt nicht mit ihm?«

Der Arzt schnaufte und wollte gerade etwas sagen, als die Nachrichten zum nächsten Punkt übergingen.

Jimmy bemerkte es aus dem Augenwinkel und riss den Kopf so schnell herum, dass sein Hals laut knackte.

»Machen Sie bitte den Ton lauter!«, bettelte Jimmy und sprang zum Bildschirm.

»Das kann ich nicht. Es ist –«

»Aber …« Jimmy fummelte erneut an den Rändern des Fernsehers herum und hoffte vergeblich auf einen beim ersten Mal übersehenen Lautstärkeregler. »Ich muss das hören!« Schließlich gab er auf, packte die Seiten des Fernsehers und sah aufmerksam zu.

»Was ist los?«, fragte der Arzt.

Jimmy beachtete ihn kaum. Auf dem Bildschirm war eine Art öffentliche Demonstration auf dem Trafalgar Square zu sehen. Die Größe der Menge ließ sich schwer bestimmen – Jimmy dachte, dass sie vielleicht absichtlich einen Kamerawinkel wählten, um über die wahre Anzahl hinwegzutäuschen –, doch die umgedrehte Plastikkiste in der Mitte des Platzes war klar zu erkennen. Von dort aus wandte sich ein großer Mann mit schulterlangem, dunkelblondem Haar über ein Megafon an die versammelte Menge – Christopher Viggo.

Viggo war der Mann, von dem die britische Regierung am meisten zu befürchten hatte. Als Ex-*NJ7*-Agent und überzeugter Gegner der Neodemokratie war er ihnen ein ständiger Dorn im Auge, reiste heimlich durchs Land und gewann Unterstützer. Die Regierung wollte ihn tot sehen – und einmal hatten sie sogar Jimmy auf ihn angesetzt. Es hätte Jimmys erste Mission werden sollen, doch im letzten Moment hatte er dagegen rebelliert. Seitdem stand auch Jimmy auf der Todesliste des *NJ7*.

Viggo sprach in der Aufzeichnung so leidenschaftlich wie eh und je, wobei sein langer Marinemantel wie ein Umhang im Wind flatterte. Aber Jimmy achtete weder auf Viggo noch auf seine Worte. Denn ganz am Rand des Bildschirms neben der behelfsmäßigen Bühne stand Helen Coates. Jimmys Mutter.

»Wann war das?«, keuchte Jimmy, unfähig, seinen Blick von den Bildern zu lösen. Dann rief er laut: »Wann ist das passiert?«

»Das war heute Morgen«, antwortete der Arzt erstaunt. »Und du verpasst nichts, wenn der Ton nicht zu hören ist – sie blenden seine Stimme immer aus und ersetzen sie durch einen Schauspieler, der Auszüge aus seiner Rede liest. Und ich kann dir sagen …«, er unterbrach sich mit einem leisen Glucksen, das offenbar Jimmys Anspannung lösen sollte, »… die Äußerungen dieses Menschen reichen von gefährlich über urkomisch bis hin zu einfach verrückt!«

»Sie lebt«, flüsterte Jimmy. »Und ist bei Chris. Sie alle müssen am Leben sein.« Er überlegte rasch, ob es irgendeinen Grund geben konnte, warum Felix und Georgie nicht bei seiner Mutter und Viggo waren. »Ihnen ist nichts geschehen. Es geht ihnen gut.«

Diesmal kämpfte Jimmy nicht gegen seine Gefühle an. Es war wunderbar – als würde er wieder zum Leben erweckt, nachdem er lange Zeit als Zombie vegetiert hatte. Das Glücksgefühl durchströmte seinen ganzen Körper. Sein Lächeln reichte fast bis zu den Ohren. Wobei sich die Verbrennungen in seinem Gesicht bemerkbar machten, die noch längst nicht geheilt waren, doch er ignorierte die Schmerzen.

Jimmy hielt seinen Kopf für eine Sekunde in den Händen, dann sprang er auf. »Ja!«, rief er. »Sie leben!« Er wandte sich an den Arzt. »Ich muss sie finden! Können Sie mich behandeln, wenn ich zurück bin? Ich weiß nicht … können wir einen Termin vereinbaren oder so.«

Der Arzt wirkte verwirrt und ein wenig verängstigt. »Warte, Jimmy«, versuchte er ihn zu bremsen. »Denkst du, ich kann dich einfach so durch London laufen lassen?«

»Aber Sie haben selbst gesagt, wenn ich kein radioaktives Zeugs in mir habe, dann bin ich nicht ansteckend, also …«

»Das ist lächerlich, Jimmy.« Der Arzt schüttelte vehement den Kopf. »Du bist krank.«

»Mir ist nicht schlecht«, protestierte Jimmy.

Der Arzt schlug die Hände zusammen und streckte sie empor, als würde er den Deckenventilator anflehen.

»Hör mir zu«, befahl er. »Warte hier, bis die Probe aus dem Labor zurückkommt.«

Jimmy wollte gerade protestieren, aber die Worte blieben ihm im Hals stecken. Hatte der Arzt »Probe« oder »Proben« gesagt? Was genau hatte der Mann ins Labor geschickt? Beide oder nur eine? Jimmys Hochgefühl war wie weggeblasen. Er war sich nicht sicher, was los war, aber das Misstrauen ließ ihn nicht mehr los. Er beschloss, einen kleinen Test zu machen.

»Danke, dass Sie mir helfen, Doktor«, sagte er leise und spielte das Unschuldslamm.

Der Arzt sah Jimmy vorsichtig an. »Es ist meine Pflicht«, antwortete er. »Als Arzt.«

»Aber es ist so mutig«, fuhr Jimmy fort. »Und es muss eine schwere Entscheidung gewesen sein – sollen Sie mich behandeln und Ihre Karriere riskieren, Ihr Krankenhaus, vielleicht sogar Ihr eigenes Leben? Also, ernsthaft ...« Er hielt inne und senkte seine Stimme zu einem eindringlichen Flüstern. »Danke.«

»*Danke*!?« Der Arzt stotterte plötzlich. »Dachtest du wirklich, ich würde dich *behandeln*?«

Jimmy verzog das Gesicht, als wäre ihm ein übler Gestank in die Nase gestiegen. Es war abstoßend, wie leicht die Fassade des Arztes zerbröckelt war.

»Ich könnte dich nicht behandeln, selbst wenn ich wollte!«, fuhr der Arzt fort und wandte den Blick ab. »Alles, was ich tun kann, ist das Blut ins Labor zu schicken. Es ist nichts Persönliches, Jimmy. Selbst wenn sich herausstellte, dass *ich* bereits infiziert bin, könnte ich mir nicht einmal selbst helfen. Ich habe bei Professor Wilson vom *Hollingdale Institut* angerufen. Zigmund ist der Einzige, der etwas dagegen tun kann!« Ein unterdrücktes Lachen ließ seine Brust erbeben. »Du dachtest, ich würde *dich* behandeln? Einen Staatsfeind? Ich würde für den Rest meines Lebens im Gefängnis landen! Ich habe nur mit dir geredet, bis …« Er marschierte auf die Tür zu.

»Bis was?«, rief Jimmy, aber der Mann lief einfach weiter. *Renn ihn einfach über den Haufen*, hörte Jimmy sich innerlich knurren. *Halte ihn auf. Schalte ihn aus*. Er fühlte, wie seine Muskeln sich spannten, bereit zuzuschlagen. *Nein*, befahl Jimmy sich selbst. »Bitte«, bettelte er und presste seine Worte widerwillig hervor. »Ich brauche Sie!«

Der Arzt hielt an der Tür inne. Er drehte sich um, aber hielt den Blick gesenkt. Er konnte Jimmy nicht in die Augen sehen. »Es ist zu spät, Jimmy«, verkündete er mit einem Beben in der Stimme.

»Nein, ist es nicht«, protestierte Jimmy. »Sie können immer noch …«

»Du verstehst nicht. Das gesamte Gebäude ist umstellt …« Der Mann verstummte und starrte aus dem Fenster.

»Was sagen Sie da?« Doch Jimmys Frage schien den Arzt nicht zu erreichen. »Wenn Sie mir nicht helfen können, bringen Sie mich wenigstens zurück auf die Station. Vergessen Sie mich. Lassen Sie mich wie einen ganz normalen Patienten …«

»Was?«, schnappte der Arzt. »Normal? Aber du …« Seine Stimme wurde leiser, dann murmelte er: »Als du vorhin geweint hast …« Er blinzelte Jimmy an, als wisse er selbst nicht, wen er da vor sich hatte. Dann öffnete er den Mund, fand aber offenbar nicht die richtigen Worte. »Hätte ich das vorher gewusst, Jimmy, hätte ich nie …« Er schluckte und öffnete die Tür. »Ich habe nur meine Anweisungen befolgt. Ich sollte dich beschäftigen, bis zusätzliche Sicherheitskräfte … Es tut mir so leid«, flüsterte er schließlich. »Ich kann dir jetzt nicht mehr helfen.«

Der Arzt eilte hinaus und schlug die Tür hinter sich zu.

Jimmy sprang auf, um ihm zu folgen, wurde aber von einem Rumpeln aufgehalten. Die Schubladen der Schränkchen fingen an zu klappern. Das Geräusch wurde lauter, dann verschoben sich die Betten auf ihren Rädern und vibrierten mit dem Boden.

Jimmy beobachtete durch das quadratische, verstärkte Glasfenster in der Tür, wie der Arzt das Zimmer von außen abschloss. Jimmy versuchte immer noch, den Sinn seiner Worte zu verstehen. Dann hörte er das Dröhnen von Motoren. Er drehte sich zum Fenster. Zwischen den Lamellen der Jalousien entdeckte er die Silhouette einer Hubschrauberflotte – dieselben Hubschrauber, die ihn in Hailsham gejagt hatten. Sie donnerten auf das Krankenhaus zu, in perfekter Formation und genau auf Höhe der obersten Etage – wo Jimmy mutterseelenalleine stand.

Eine Sekunde später eröffneten sie das Feuer.

KAPITEL 9

Jimmy warf sich zu Boden. Überall um ihn herum zerbarsten die Fenster und Kugeln schlugen in das Linoleum. Der Fernsehbildschirm verwandelte sich in einen rauchenden Haufen von Funken und splitterndem Plastik. Die Hubschrauber beschossen das gesamte Stockwerk mit ihren Maschinengewehren.

Jimmy kroch unter eines der Betten. Er sah den Ausgang, konnte ihn aber nicht erreichen. Ein Kugelhagel trennte ihn von der Tür. Am liebsten hätte er sich unter dem Bett zusammengerollt und die Augen geschlossen, doch die Kraft in ihm hatte andere Ideen. Sie ergriff Besitz von seinem Gehirn und blendete die Angst aus.

Blitzschnell huschte Jimmy über den Boden, das Bett über sich mitrollend wie einen Schildkrötenpanzer. Als er das nächste Bett erreichte, schlüpfte er darunter und benutzte es als Schild. So bewegte er sich von Bett zu Bett unter einem durchgehenden Schutzdach.

Die Kugeln bohrten sich in die Matratzen über ihm. Einige drangen sogar durch und blieben in den dünnen Metallfedern stecken, wenige Millimeter über Jimmys Kopf.

Am Ende des Raumes angekommen berechnete er,

ob er die verschlossene Tür mit einem kräftigen Stoß durchbrechen konnte. Aber dann spähte er unter dem Bett hervor und verwarf seinen Plan sofort wieder. Durch das Fenster in der Tür entdeckte er einen Schatten. Jemand war an der Tür vorbeigegangen – eine Gestalt in Schwarz.

Es muss einen anderen Ausweg geben, dachte Jimmy. Er rollte auf den Haufen von Mopps, Eimern und Besen in der Ecke des Raumes zu. Sie waren in Stücke geschossen worden, aber Jimmy entdeckte ein längeres Stück Besenstil. Er testete das Holz und versuchte herauszufinden, ob es sein Gewicht halten würde.

Was mache ich da eigentlich?, dachte er verzweifelt, während seine Hände arbeiteten. Sein Gehirn schien ihm beständig einen Schritt voraus zu sein und er selbst erfasste nur kleine Bruchstücke des Plans. Doch als er sie schließlich zusammensetzte, war er entsetzt. *Schaffe ich das?* Gleichzeitig wusste er, dass ihm keine andere Wahl blieb. Der einzige Weg aus diesem Raum führte durch das Fenster.

Jimmy verkantete den Besenstil horizontal zwischen den Beinen des Bettes, fixierte so gleichzeitig die Räder und wandte sich dann seinem Verband zu.

Sein ganzer Körper war mit weißem Verbandmull umhüllt. Er flatterte um seine Hände, als er ihn abwickelte. Es sah aus wie ein einziger durchgehender Streifen, der Dutzende Male um seinen Torso herum lief, dann sein rechtes Bein hinunter und wieder hinauf, dann das andere Bein hinunter, um an seinem linken Knöchel zu enden. Jimmy hoffte zumindest, dass es eine einzige, durchgehende Bandage war. Denn wenn nicht, würde sein Vorhaben mit einem grausamen Aufschlag enden.

Noch immer surrten die Kugeln um ihn herum. Er musste das alles ausblenden. Die kleinste Fehleinschätzung hätte jetzt mindestens so schwerwiegende Folgen wie jede Kugel. Er zog dreimal heftig am Ende der Bandage, die um seinen Arm hing. Sie schien belastbar genug, aber Stärke war nicht alles, was Jimmy brauchte. Er brauchte Elastizität.

Jimmy hatte noch nie zuvor einen Bungee-Sprung versucht, aber er hatte genug davon gehört, um das Prinzip zu verstehen – ein Sprung aus großer Höhe mit starkem Gummiband an den Knöcheln, das einen knapp vor dem Aufprall wieder nach oben zog. Es konnte eine perfekte Fluchtmöglichkeit sein. Es gab jedoch ein paar Haken: Er benutzte einen Verband statt eines Gummibandes. Er wusste nicht, wie lang sich der Verband dehnen würde. Und er hatte keine Ahnung, wie hoch das Gebäude war. *Abgesehen davon*, dachte er tief durchatmend, *ist es ein perfekter Plan.*

Jimmy blickte zum Fenster hinauf, wo die Jalousie im Kugelhagel tanzte. Er befand sich im obersten Stockwerk, aber wie weit oben war das? Eine lebenswichtige Rätselfrage. Sein Verstand arbeitete auf Hochtouren und versuchte sich an jede verfügbare Information zu erinnern, aber das einzige Mal, dass er das Gebäude von außen gesehen hatte, war er kaum bei Bewusstsein gewesen.

Mit frustriertem Stöhnen wandte er sich wieder seinem Verband zu. Er blickte an seinem Körper hinab, um die Länge der Bandage abzuschätzen. Doch es schien unmöglich – etwa so, als wollte man die Anzahl der Süßigkeiten in einem riesigen Glas erraten. Jimmy versuchte nachzudenken, aber die beständigen Einschüsse raubten ihm die Konzentration.

»Komm schon!«, rief er laut. Jede Sekunde würden auf die Hubschrauber die Spezialeinheiten folgen. *Verschwende die Zeit nicht mit Messen*, ermahnte er sich. Solange die Länge der Bandage plus die Länge von Jimmys Körper nur etwas weniger als die Höhe des Gebäudes betrug, würde er überleben. Er band ein Ende der Bandage um den Besenstil, dann lockerte er den Verband um seine linke Wade, zog das Ende heraus und band es fest um seinen Knöchel.

Er überprüfte seine Knoten, wobei ihm zwei Katastrophen-Szenarios nicht aus dem Kopf gingen. In einem riss der Verband und Jimmy knallte mit dem Kopf zuerst auf den Krankenhausvorplatz. Im anderen baumelte Jimmy hilflos an der Fassade als perfektes Ziel für die Hubschrauber-Schützen.

Dann trat Stille ein. Das Schießen hatte aufgehört. Jimmys Zeit war abgelaufen. Die Tür öffnete sich mit einem Klicken und Jimmys Versteck war nicht mehr sicher. Riesige schwarze Stiefel trampelten in das Krankenzimmer. Jimmy schluckte seine Angst hinunter und schoss unter dem Bett hervor.

Die Soldaten der Spezialeinheit wirbelten herum, ihre

Waffen im Anschlag. Doch alles, was sie von Jimmy sahen, war ein weißer Streifen, der durch die Jalousie glitt.

Jimmy hörte das Gewehrfeuer, aber es wurde sofort leiser und durch das Geräusch des Windes ersetzt. Für eine Sekunde schien er im Himmel zu hängen, die frische Luft weckte neue Hoffnung. Vielleicht würde dieser verrückte Plan doch aufgehen. Vielleicht konnte er es schaffen und seine Konditionierung hatte ihn wieder einmal gerettet. Für den Bruchteil einer Sekunde hatte er das Gefühl, fliegen zu können.

Dann begann er zu fallen. Die Geschwindigkeit raubte ihm den Atem. Es fühlte sich an, als würde sein Herz in seiner Kehle pochen. Aber das waren nur die ersten paar Meter – der einfachere Teil. Danach kam das unvermeidliche Abrollen von Jimmys Bandage.

Das Blau des Himmels und das Grau der Straße verwischten. Jimmy wirbelte so schnell um die eigene Achse, dass sich sein Gehirn in einem anderen Tempo als sein Körper zu drehen schien – als würde sich nicht nur der Verband, sondern auch Jimmys ganzes Wesen auflösen. Zuerst versuchte er, seine Bewegungen zu kontrollieren, aber er drehte sich zu schnell. Seine Muskeln wurden schlaff. Seine Arme flatterten wie nutzlose Flügel, und sein Kopf schaukelte hin und her, bis er dachte, er würde abreißen.

Nach ein paar Sekunden stabilisierte sich der Rhythmus seiner Drehungen und er konnte den Boden unter sich ausmachen. Leider schoss er viel zu schnell auf ihn zu. Sein nackter Oberkörper war jetzt bereits der Kälte ausgesetzt, dann verlagerte sich sein Gewicht, während der Verband von seinem rechten Bein abrollte. Er kippte, bis er kopfüber um sich selbst kreiselnd weiter in die Tiefe sauste.

Ich habe mich getäuscht, dachte Jimmy. *Der Verband ist zu lang*. Plötzlich änderte sich seine Drehachse wieder – das andere Bein wickelte sich ab. *Es ist immer noch zu viel*, dachte er. *Ich bin zu nah am Boden. Ich werde …*

Jimmys Sorge fand ein abruptes Ende. Der letzte Meter der Bandage wurde abgewickelt. Wäre es ein gewöhnliches Seil gewesen, wäre sein Fuß vom Bein gerissen worden, aber die Elastizität der Bandage war ausreichend, um ihn allmählich zu bremsen. Er drehte sich weiter mit dem Federn der Gazebandage und das Blut staute sich in seinem Kopf. Er wurde langsamer, obwohl der Bürgersteig immer noch auf ihn zukam. Beim Aufprall würde mit Sicherheit sein ganzer Schädel zerschmettern.

Jimmy schloss die Augen, spannte seine Muskeln und schlang die Arme um den Kopf, in der verzweifelten Hoffnung, seine Knochen wären stark genug, dem Aufprall standzuhalten. Aber der Aufprall kam nicht.

Jimmy zuckte zusammen. Sein ganzes Knochengerüst schrie vor Schmerz, die Gelenke wurden fast bis zum Reißen überdehnt, dann streiften die Spitzen seiner Haare sanft über den Boden. Der Verband war maximal gedehnt. Es war, als wäre er mit einem perfekt kalibrierten Bungee-Seil gesprungen.

Scheinbar eine Ewigkeit hing er dort und wartete auf den unvermeidlichen Rückflug nach oben. Mit freudigem Erstaunen spürte Jimmy den Wind auf seiner Haut und öffnete die Augen. Bei dem ganzen Blut, das seine Sehnerven umströmte, konnte er kaum richtig fokussieren.

Und dann fühlte Jimmy sich erneut leichter als Luft, während er nach oben gerissen wurde. Seine Haut kribbelte in der Kälte – er trug nun nur noch die Krankenhausunterhosen, aber das war bei Weitem nicht sein größtes Problem.

Nach etwa einem Drittel des Weges nach oben hatte er endlich seinen Körper unter Kontrolle gebracht. Er verlagerte sein Gewicht mit minimalen instinktiven Muskelbewegungen. Der Anblick der Straßen und die Rufe der Menschen unter ihm wurden durch die beständigen blitzschnellen Kommandos seines Agenteninstinkts in den Hintergrund gedrängt.

Sein Rücken krümmte sich und seine Arme streckten sich zur Seite. Die ideale Position für den nun kommenden Sturz. Doch seine Programmierung hatte bereits etwas ganz anderes vor. Da unten waren zu viele Leute. Also schwang sich Jimmy stattdessen in Richtung des Gebäudes. Sein ängstliches Zittern wich der Begeisterung. Er war aus dem obersten Stockwerk des Gebäudes gesprungen und hatte überlebt. Nicht nur das, er hatte jetzt nun die volle Kontrolle.

Mit frischer Konzentration konnte Jimmy jetzt auch mehr Details seiner Umgebung aufnehmen. Wie zu erwarten, hatte sich eine neugierige Menschenmenge versammelt. Die Leute wurden von Sicherheitsbeamten zurückgedrängt. Sobald Jimmy den Boden erreichte, würden dort die Special Forces auf ihn warten.

Während des Fluges blickte er nach oben. Er erhaschte einen Blick auf eine Reihe von Köpfen, die aus den Fenstern im obersten Stockwerk starrten – und auf Waffen, die gegen ihn gerichtet waren.

Kurz bevor Jimmy gegen das Gebäude prallte, riss er den Kopf nach hinten und vollführte einen Rückwärtssalto. Er durfte keinen Moment innehalten. Ansonsten böte er ein perfektes Ziel. *Würden die wirklich einen Jungen vor den Augen der Öffentlichkeit erschießen?*, fragte sich Jimmy.

Nach einer Doppelrolle packte Jimmy den Verband, hangelte sich nach oben und schwang zum Gebäude zurück. Wie lange würde es dauern, bevor die Soldaten im Gebäude den Verband durchtrennten? Er prallte gegen die Wand im dritten Stock und stieß sich mit seinen nackten Füßen wieder ab. Er hörte das Krachen von Schüssen. Die Kugeln bohrten sich ins Mauerwerk des Krankenhauses. Staub spritzte in sein Gesicht, aber Jimmy war bereits aus der Schusslinie.

Er schwang sich um die Ecke des Gebäudes und über eine Sicherheitsmauer. Es war perfekt – niemand vom Vorplatz konnte ihm hierhin folgen, es sei denn durch das Krankenhaus und einen Seitenausgang.

Als seine Füße dieses Mal das Gebäude berührten, pumpten seine Beine mit voller Kraft. Der Schwung beschleunigte seinen Sprint die Wand hinauf. Gerade als der Verband seine volle Ausdehnung erreichte, grub Jimmy seine Finger in winzige Vertiefungen im Mauerwerk. Er versuchte, sich an Ort und Stelle zu halten, aber er wusste, dass er sich weiterbewegen musste, bevor die Schützen ihn entdeckten und zielen konnten. Er klammerte sich mit einer Hand fest, während er mit der anderen nach unten griff und den Knoten an seinem Knöchel löste. Dann trat er gegen die Wand und hechtete sich nach hinten in Richtung einer Baumkrone. Mit einem unguten Knirschen von Knochen auf Holz landete er in den oberen Zweigen. *Weicher als eine Krankenhausmatratze*, dachte Jimmy und spuckte ein Blatt aus dem Mund.

Die Verbrennungen an Jimmys Körper schrien nach Schonung. Jeder Ast des Baumes schien seine Haut zu stechen oder zu kratzen, während er zu Boden kletterte. Aber er befand sich nicht draußen auf der Straße. Als er über die Sicherheitsmauer geflogen war, hatte er den Krankenhauskomplex nicht verlassen, sondern war wieder hineingesprungen.

Das St. Thomas Hospital bestand aus zwei riesigen Gebäuden direkt nebeneinander. Der eine Komplex war das öffentliche Krankenhaus – der, in dem Jimmy gewesen war. Aber nun befand er sich auf dem Parkplatz des anderen Teils der Anlage – des privaten Flügels.

Erleichtert entdeckte er eine Rampe zur unteren Ebene des Parkplatzes, und als er es zum Ende der

Rampe geschafft hatte, bemerkte er einen Ausgang zur Straße. Sicher suchten die *NJ7*-Agenten bereits zwischen den Flügeln des Krankenhauses nach ihm. Er musste in Bewegung bleiben, sich aus dem CCTV-Bereich heraushalten und so schnell wie möglich sein Aussehen ändern. *Kleidung würde helfen,* dachte er, in seiner Krankenhausunterhose zitternd.

Sein Körper schien bereits die Lösung gefunden zu haben. Jimmy marschierte an den Fahrzeugen entlang über den Parkplatz. Er bückte sich, um durch die Fenster auf der Fahrerseite zu schauen. Am anderen Ende, in der Nähe einer Servicetür des Krankenhauses, saßen zwei Gestalten in ihrem Auto. Jimmy überlegte bereits, wie er Erwachsenenkleider für sich passend machen könnte.

Noch drei Autos von seinem Ziel entfernt, ließ Jimmy sich zu Boden gleiten und rollte unter den benachbarten Fahrzeugen hindurch. Neben der Fahrertür sprang er auf und öffnete sie mit einer flüssigen Bewegung.

»Zieh sofort dein Hemd und deine Hose aus!«, befahl er mit leiser, strenger Stimme. Doch das hatte nicht die gewünschte Wirkung.

Der Fahrer war ein großer schwarzer Mann – nicht fett, aber selbst am Steuer sitzend war ersichtlich, dass er groß war und seine Brust wie ein mächtiges Fass. Er betrachtete Jimmy langsam von oben bis unten und mampfte dabei das letzte Knäckebrot aus einer Packung. Seine Miene war ausdruckslos, bis auf einen feindseligen Blick.

»Ich glaube nicht, dass dir dieses Hemd passt, mein Junge«, sagte er mit tiefer Bassstimme, während er die leere Packung zerknüllte.

Jimmy schaute auf das Hemd, das sich über den beeindruckenden Brustmuskeln des Mannes spannte. Es hatte ein kleines, dezentes Logo: einen grünen Streifen.

»Und ich glaube nicht, dass mein Hemd wirklich dein Stil ist«, fügte der Mann auf dem Beifahrersitz mit nach vorne gerichtetem Blick hinzu. Er trug ebenfalls ein schwarzes Hemd mit dem grünen, das Licht reflektierenden Streifen auf seiner Brust.

Erst jetzt schaute der zweite Mann zu Jimmy. Seine Augen weiteten sich. »Hey,« keuchte er. »Du bist dieser Junge …«

Bevor der Mann ein weiteres Wort von sich geben konnte, sprang Jimmy hoch und traf mit beiden Knien das Gesicht des Fahrers. Mit einer fließenden Bewegung zog er sich auf das Autodach, vollführte eine Rolle und landete auf der anderen Seite des Wagens. Seine Fersen donnerten direkt gegen den Kopf des anderen Mannes, der sich in dem Moment aus der Beifahrertür beugte.

Es waren starke Männer, aber der plötzliche Angriff hatte sie überrumpelt. *Haben sie mich denn nicht erwartet?*, fragte sich Jimmy. *Warum hatten sie ihre Waffen nicht schon gezogen?* Er hatte noch nie erlebt, dass *NJ7*-Agenten so unvorbereitet waren.

Jimmy zerrte ihre bewusstlosen Körper einzeln aus dem Auto und legte sie auf den Asphalt. *Warum hatten sie ihn nicht sofort erkannt?* Die einzige Erklärung war, dass sie in einer anderen Mission hier waren. Aber welcher andere Auftrag könnte zwei *NJ7*-Agenten in dieses Krankenhaus führen?

Rasch schlüpfte Jimmy in das Hemd und die Hose des kleineren Agenten. Doch der Mann war nicht viel kleiner als sein Partner. Jimmy musste die Ärmel des Hemdes hochkrempeln, die Hosenbeine umschlagen und den Gürtel so fest um seine Mitte ziehen, dass er ein neues Loch in das Leder bohren musste. Er nahm auch ein Paar Socken, aber er entschied, dass ihn die übergroßen Schuhe nur aufhalten würden.

Ihm blieben nur wenige Sekunden, bevor die Agenten wieder zu sich kamen oder jemand den Zwischenfall entdeckte. Jimmy blickte in das Innere des Autos und schnappte sich einen Londoner Stadtplan. Ein Ziel beherrschte sein Denken – das *Hollingdale Institut*. Er hatte sogar einen Ansprechpartner: Professor Zigmund Wilson. Wenn ein Arzt mit einer Strahlenvergiftung sich dorthin wenden würde, dann musste auch Jimmy zu ihm. Wenn er nur wüsste, wo sich das Institut befand.

Immer wieder blickte er auf seine Finger. Die Haut war so wund, dass sie fast glühend rot war. *Das wird wieder heilen*, tröstete Jimmy sich. Es fühlte sich an, als würde sich seine Haut mit jeder Sekunde weiter beruhigen. Es waren die blauen Flecken unter seinen Fingernägeln, bei denen sich Jimmy nicht so sicher war. Seit er sie vor Kurzem betrachtet hatte, waren sie sogar noch größer geworden. Mit seinen Zehen stand es ähnlich. Er versuchte festzustellen, ob ihm übel war oder er sich übergeben wollte, aber er konnte die wirklichen Symptome nicht von den psychologischen unterscheiden. Wie stark geschädigt war sein Körper? Und breitete sich die Vergiftung weiter aus oder wurde er geheilt?

Er hatte keine Ahnung, wo er nach dem *Hollingdale Institut* suchen sollte, da entdeckte er am Gürtel des *NJ7*-Agenten ein Mobiltelefon. Das war alles, was er brauchte.

Jimmy verließ eilig den Parkplatz und erreichte nun endlich die Straße. Unterwegs studierte er eines der Schilder vor dem Krankenhaus und tippte dann die Telefonnummer in das Handy des Agenten ein. Während er sprach, lief er weiter, ohne sich darum zu kümmern, in welche Richtung er ging, er wollte einfach nur den Abstand zwischen sich und dem Krankenhaus vergrößern.

»Hallo«, sagte er und verstellte seine Stimme, sodass sie wie die eines alten Mannes klang. »Ich habe einen Termin bei Professor Wilson, aber ich habe mir die Zeit nicht aufgeschrieben. Könnten Sie das bitte für mich überprüfen?«

»Professor Wilson?«, sagte die Empfangsdame.

»Ja, richtig. Professor Zigmund Wilson.«

»Es gibt keinen Zigmund Wilson in diesem Krankenhaus.«

»Oh, ist das nicht das *Hollingdale Institut*?«

»Nein, das ist das St. Thomas Krankenhaus.«

»Tut mir leid«, sagte Jimmy, ein Lächeln im Gesicht. »Ich muss die falsche Nummer haben. Wissen Sie, wie ich das *Hollingdale Institut* erreichen kann?«

»Ich habe die Nummer hier, einen Augenblick.«

Jimmy schlüpfte in eine Gasse zwischen zwei geschlossenen Läden und blickte zurück auf die Straße. Er konnte jederzeit verfolgt werden und jede weitere Sekunde mit diesem Telefon in seiner Hand erhöhte das Risiko noch. Endlich kam die Empfangsdame zurück und gab Jimmy eine Nummer.

»Und das ist in Hackney, nicht wahr?«, sagte Jimmy, als wäre es die natürlichste Sache der Welt.

»Nein, nein, das ist falsch«, antwortete die Empfangsdame. »Das *Hollingdale Institut* ist in Mill Hill. Hier steht, es befindet sich auf dem Ridgeway, Mill Hill.«

Jimmy schaltete das Handy ab, warf es in einen Gully und rannte in Richtung Norden.

»Wird er überleben?«, brüllte William Lee, der mit einem Handy am Ohr durch die Gänge des *NJ7*-Bunkers marschierte. »Beantworten Sie meine Frage, Doktor!«, rief er. »Wird er überleben?«

Er erreichte eine kleine Metalltür, die diskret mit einer *10* markiert war, und schritt hindurch. Plötzlich wichen die nackten Betonwände und Neonleuchten einer ganz anderen Welt: dicker Teppich, luxuriös ausgestattete Innenräume, alte Gemälde grimmig dreinblickender Politiker an den Wänden.

Als Lee das Arbeitszimmer des Premierministers erreichte, beendete er das Gespräch, ohne sich zu verabschieden. Der Raum war voll besetzt mit Menschen, die herumfuhren und ihm sofort ihre volle Aufmerksamkeit schenkten. Einige von ihnen waren bereits bei Ian Coates' Zusammenbruch am Kabinettstisch dabei gewesen, die übrigen waren leitende Offiziere, Beamte und Geheimdienstmitarbeiter.

»Hören Sie mir genau zu«, verkündete Lee. »Die Ärzte haben eine Herzinsuffizienz ausgeschlossen. Sie haben einen Schlaganfall ausgeschlossen. Sie haben Aneurysma und ein Dutzend anderer, wie Kauderwelsch klingender Zustände ausgeschlossen.« Er ließ seinen Blick über die versammelten Gesichter schweifen. Nach dem, was er gerade vom Arzt im Krankenhaus gehört hatte, wurde er das Gefühl nicht los, dass irgendjemand hier im Raum einen Mordversuch unternommen hatte.

»Es ist die fundierte Meinung der Ärzte«, fuhr Lee fort und senkte dabei seine Stimme, »dass der Premierminister aufgrund einer Vergiftung zusammengebrochen ist.«

Es herrschte einen Augenblick Schweigen, während alle diese Nachricht verarbeiteten. »Gift.« Ein besorgtes Murmeln erhob sich im Raum.

»Detective!«

Ein bärtiger Mann in braunem Anzug trat vor.

»Ja, Sir?«

»Ich stelle Ihnen ein *NJ7*-Forschungslabor für Ihr forensisches Team zur Verfügung, damit keine Beweismittel diesen Ort verlassen müssen, verstanden?«

Der Mann nickte.

»Bringen Sie alles in die Bunker«, befahl Lee. »Analysieren Sie jeden Krümel und jedes Staubkorn.«

Er deutete auf die Umstehenden. »Die Ärzte können den Premierminister nicht heilen, solange sie nicht wissen, welches Gift ihn umbringt. Die Chancen stehen gut, dass es noch Spuren davon in diesem Raum gibt. Finden Sie es. Das Leben des Premierministers liegt in unseren Händen.«

Er zog sein Telefon heraus, um einen weiteren Anruf zu tätigen, knurrte aber einen letzten Gedanken, bevor er den Raum endgültig verließ: »Nach seinem Zusammenbruch und dem heutigen Bombenanschlag ist er der beliebteste britische Premierminister dieses Jahrhunderts. Die Öffentlichkeit steht hinter ihm. Also viel Glück.«

KAPITEL 10

Der Ridgeway in Mill Hill war eine lange, gewundene Straße, die eher auf das Land als in die Vororte Londons zu gehören schien. Zu beiden Seiten standen hohe Bäume, die dunkle Schatten warfen. So war Jimmy in der Abenddämmerung für die wenigen Autofahrer kaum erkennbar.

Erneut schob er die Ärmel hoch. Das *NJ7*-Hemd ärgerte ihn langsam, aber er hatte keine Alternative. Außerdem entsprach der Stoff dem neuesten Stand der Technik. Es hielt den scharfen Wind ab und linderte wahrscheinlich sogar seine Verbrennungen, die kaum noch zu spüren waren. Trotzdem hätte er das Hemd gerne gegen einen Pullover und ein Paar Schuhe getauscht.

Der Fußmarsch dauerte länger als erwartet, aber so war es vorerst am sichersten. Als der *NJ7* ihn im Krankenhaus verloren hatte, wurde die Suche vermutlich sofort auf alle Busse, Züge und Autos in der Umgebung ausgedehnt. Ohnehin fragte sich Jimmy, warum er nicht längst auf einen Fahndungsring der Spezialeinheiten und der Polizei gestoßen war. Und warum hatte der *NJ7* keine Patrouillen rund um das Krankenhaus eingesetzt?

Jimmy versuchte seine Angst abzuschütteln, aber je näher er dem *Hollingdale Institut* kam, desto nervöser wurde er. *Es ist nur Paranoia*, beruhigte er sich selbst.

Dann sah er endlich sein Ziel vor sich. Es war kein gewöhnliches Krankenhaus. Eher wirkte es wie Batmans Landgut – ein riesiges Gebäude mit Türmchen und Erkern aus graublauem Stein, das sich bis hinauf in die Wolken schraubte. Jimmy wäre nicht überrascht gewesen, wenn ein Blitz den Himmel gespalten hätte oder ein Vampir über die Dächer gehuscht wäre.

Er joggte zum Haupttor, wobei er immer einen Schritt hinter dem Sichtfeld einer schwenkenden Überwachungskamera blieb. Seine Instinkte steuerten seine Muskeln mit äußerster Präzision.

Die Pförtnerloge am Haupteingang war nicht besetzt. Kribbelnd regte sich das Misstrauen in Jimmy, aber er musste weiter. Wenn ihm hier jemand helfen konnte, war es das Risiko eines Hinterhalts wert.

Er duckte sich unter der Schranke hindurch und erreichte in Sekundenschnelle den Eingang des Hauptgebäudes. Auch er war unbewacht. *Dieser Ort ist verlassen*, dachte sich Jimmy. War Professor Wilson überhaupt hier?

Vorsichtig trat Jimmy in den Hauptempfangsbereich. Es war eine Halle im viktorianischen Stil, mit blau gemusterten Kacheln und einer reich verzierten Stuckdecke. Jimmys Blick wanderte die Flure entlang, die sich zu beiden Seiten erstreckten. Sie waren dunkel, bis auf ein schwaches Licht, das aus einer Tür am Ende eines Flures drang. Er schlich den Korridor entlang, seine Schritte so lautlos wie der Rest des Gebäudes. In ihm tobte ein Widerstreit. Hier waren sämtliche Sicherheitsmaßnamen sträflich vernachlässigt worden. Es fühlte sich an wie eine Falle.

Nein, sagte Jimmy sich selbst und weigerte sich, seinen Ängsten nachzugeben. Er hatte keine Wahl. Wenn ihn die Strahlenvergiftung sowieso töten würde, was hatte er dann zu verlieren? Jetzt in einen Hinterhalt gelockt zu werden, würde die Dinge nur einfacher machen. Er grinste entschlossen, kämpfte gegen seine Konditionierung an und zwang sich Schritt für Schritt voran.

Er schlüpfte durch die Türöffnung, bereit für einen Gegenangriff, aber niemand war in dem Raum. Es war ein kleines Büro, mit geöffneten Jalousien. Bücher säumten die Wände, und in der Mitte des Zimmers befand sich ein alter Schreibtisch mit einer Lampe, die ein hellgelbes Licht abstrahlte. Jimmy kam sich albern vor. Besser er kehrte sofort in die Lobby zurück, um von dort aus richtig nach Professor Wilson zu suchen. Aber dann durchbrach ein Flüstern die Stille.

»Jimmy!«

Die Stimme bohrte sich in Jimmys Gehirn. Sein Puls raste. Er spähte in die Schatten und aus einer Ecke des Raumes sah er eine schlanke Gestalt ins Lampenlicht treten.

»Eva!« Jimmys Mund stand einen Moment offen, dann weitete er sich zu einem Lächeln. Doch das freudige Kribbeln über das Wiedersehen mit der besten

Freundin seiner Schwester wurde durch den Ausdruck auf ihrem Gesicht sofort zunichtegemacht. Mit weit geöffneten Augen und verkniffenen Lippen war sie ein Bild der Angst. Jimmy wollte auf sie zustürzen, doch ein winziges, fast unmerkliches Kopfschütteln Evas ließ ihn erstarren. Dann zuckten ihre Augen durch den Raum, zuerst zur Lampe, dann zu drei Punkten auf den Bücherregalen.

Ohne den Kopf zu bewegen, folgte Jimmy ihrem Blick und erkannte, auf was sie ihn hinweisen wollte – an vier verschiedenen Stellen reflektierten winzige Linsen das Licht. Jimmy und Eva wurden beobachtet.

»Ich habe auf dich gewartet«, verkündete Eva, ihre Stimme flach und bewusst emotionslos.

Jimmy wusste, dass er vorsichtig sein musste. Der *NJ7* bekam alles mit, und jeder Hinweis, dass Eva und Jimmy noch auf derselben Seite standen, wäre eine Katastrophe. Der Geheimdienst ging immer noch davon aus, dass Eva Jimmy verraten hatte und gegen ihn arbeitete.

»Ich habe nicht damit gerechnet, dich je wiederzusehen«, knurrte Jimmy.

Evas Gesicht entspannte sich etwas, denn Jimmy hatte offenkundig kapiert, um was es ging.

»Es tut mir leid, was passiert ist, Jimmy«, protestierte Eva, ein Glitzern in ihren Augen. »Ich musste es tun, glaub mir.«

Jimmy war beeindruckt von ihrer Schauspielkunst. Es sah sogar so aus, als würde sie das ein wenig genießen.

»Aber jetzt will ich dir helfen.«

Jimmy wusste nicht, wie er antworten sollte. Er fühlte Hoffnung in sich aufsteigen. Eva war immer clever gewesen – vielleicht hatte sie tatsächlich einen Weg gefunden, ihm direkt unter den Augen des *NJ7* beizustehen.

»Deine Verbrennungen ...«, flüsterte Eva und griff nach seiner Hand.

»Du kannst mir nicht helfen«, antwortete Jimmy und stieß ihre Hand weg. Worte und Stimme das genaue Gegenteil seiner wahren Gefühle. »Wie hast du mich gefunden?«

»Der Arzt, der dir im Krankenhaus geholfen hat«, sprudelte Eva hervor. »Er hätte dich nicht entkommen lassen dürfen.«

»Ich nehme an, Miss Bennett hat ihn dafür bestraft.«

»Hart bestraft.« Der plötzliche Ton der Verzweiflung in Evas Stimme schien echt.

Jimmy wollte sich gar nicht ausmalen, was der *NJ7* diesem Arzt angetan hatte, nur weil Jimmys Verhaftung im Krankenhaus gescheitert war.

»Er hat uns verraten, dass du möglicherweise hierherkommen würdest«, fuhr Eva fort. »Er sagte, er hätte versehentlich den Namen erwähnt und du würdest dich vielleicht daran erinnern.«

Jimmy nickte langsam und erfasste nach und nach die Bedeutung ihrer Worte. Der Arzt hatte nicht nur den Namen des Instituts erwähnt ...

Eva schien seine Gedanken zu lesen. »Professor Wilson …« Sie brachte den Satz nicht zu Ende. Tränen stiegen ihr in die Augen.

Jimmy fühlte eine schreckliche Übelkeit in seinem Magen. Er machte einen Schritt und schob Eva aus dem Weg. Da, zusammengerollt auf dem Boden hinter dem Schreibtisch, lag die Leiche eines Mannes mittleren Alters. Seine blauen Augen starrten an die Decke. Die Muskeln in seinem Hals schienen angespannt, als wäre er mitten in einem Schrei gestorben. Seine viereckige Brille hing verbogen auf dem Nasenrücken.

Jimmy zitterte vor Wut. »Was haben sie …?« Er unterdrückte die Frage und schlug stattdessen mit den Fäusten auf den Schreibtisch. Er brach direkt durch das Holz, dann fegten seine Handflächen über die Tischplatte, und er ließ einen Schrei ertönen. Professor Wilsons Papiere flogen durch den ganzen Raum. Die Lampe stürzte zu Boden, zerbrach aber nicht und strahlte Jimmy direkt an, wo das Licht seinen Gesichtsausdruck noch gequälter erscheinen ließ.

»Es tut mir leid, Jimmy«, flüsterte Eva. »Kanntest du ihn?«

»Du verstehst nicht«, zischte Jimmy. »Ich …« Er brachte es nicht über sich, ihr alles zu erklären. »Hier muss noch jemand anderes sein.« Er war außer sich. »Jemand, der mit Professor Wilson zusammengearbeitet hat. Vielleicht ist derjenige in der Lage –«

»Der *NJ7* hat alle anderen verhaftet«, erklärte Eva. »Wir sind die Einzigen hier.«

Jimmy hatte Mühe, sich zu konzentrieren. Er konnte

die Augen nicht von der Leiche auf dem Boden wenden und die Art und Weise, wie die Fäuste des Mannes sich auf seiner Brust verkrampften.

»Jimmy, hör zu«, drängte Eva. »Uns bleibt nicht viel Zeit. Ich riskiere mein Leben, wenn ich mit dir rede.«

Jimmy war verwirrt. Warum hat Eva das gesagt? Beide wussten bereits, dass der *NJ7* zuschaute. Aber dann kamen Jimmy Zweifel. Etwas war merkwürdig an der Art, wie Eva sprach. Wollte Eva, dass der *NJ7* dachte, sie würde Jimmy helfen oder ihn austricksen? Wurden sie überhaupt beobachtet?

»Ich habe hier auf dich gewartet«, fuhr Eva fort.

Jimmys Gehirn machte Saltos, um herauszufinden, welchen Plan Eva verfolgte – und vor allem *wessen* Plan.

»Du bist nicht in Sicherheit, aber ich bin jetzt auf deiner Seite.«

Ich weiß, wollte Jimmy laut schreien. *Bist du hergekommen, nur um mir das zu sagen? Und warum hast du mich vor den Kameras gewarnt?* Doch er konnte nichts anderes tun, als sie verwirrt anzustarren. Da war etwas in Evas Augen. Ihr Ausdruck war leer, und sie hatte die Tränen zurückgedrängt, aber hinter alldem konnte Jimmy eine Dringlichkeit ahnen, die er nicht verstand. Es war, als ob sie versuchte, einen Gedanken aus ihren Augen direkt in Jimmys Kopf zu strahlen, aber Jimmy hatte keine Ahnung, was es war.

»Du bist gekommen, um Professor Wilson zu treffen«, sagte Eva mit zitternder Stimme. »Also schüttele ihm die Hand.«

Jetzt war Jimmy noch verwirrter. War Eva verrückt geworden? Vielleicht hatte das Warten in diesem kleinen Büro neben einer Leiche sie in eine Art Hysterie versetzt. Sie ging zur Tür und drehte sich um, um Jimmy mit einem letzten Blick zu fixieren.

»Gib ihm die Hand, Jimmy«, wiederholte sie. »Und du wirst wissen, was zu tun ist.«

Jimmy sah ihr nach, unfähig, sich zu bewegen, bis ihre Schritte auf dem Flur verhallt waren. Schließlich wandte er sich wieder der Leiche zu. *Ihm die Hand schütteln?*

Er sank auf ein Knie und musterte die Leiche. Hätte dieser Mann ihn retten können? *Vergiss es*, befahl er sich selbst. *Ich werde einen anderen Weg finden.* Dann entdeckte er etwas, das ihn von all den anderen Sorgen ablenkte. Aus Professor Wilsons rechter Faust ragte etwas heraus – ein Stückchen Grün.

Jimmy beugte sich dicht über ihn und versuchte dabei, die unheimlich starrenden Augen des Mannes zu ignorieren. Die Leiche war noch warm und der Geruch von Wilsons Rasierwasser stieg ihm in die Nase. Mit seinem Ekel kämpfend, packte Jimmy die Spitze des grünen Gegenstandes und zog ihn heraus. Er ließ sich leicht aus Wilson Faust entfernen – was auch immer es war, bei seinem Tod hatte es sich ganz offensichtlich noch nicht in der Hand des Professors befunden. Vermutlich hatte Eva dieses Versteck gewählt. Oder war es der *NJ7* gewesen?

»*Du wirst wissen, was zu tun ist*«, hatte Eva gesagt.

Jimmy starrte auf das Objekt in seiner Hand. Gegen seinen Willen stieß er ein bitteres Lachen aus und murmelte: »Ein *grüner* USB-Stick.«

KAPITEL 11

Jimmy entfernte sich eilig vom Institut. Die Alleen schienen sich um ihn herum zu schließen. Er versuchte, einen stetigen Trab aufrechtzuerhalten, doch seine Muskeln vibrierten und bettelten förmlich um einen Kampf. Außerdem lief er nur noch auf Socken und seine Augen zuckten unstet umher. Überall konnte ein Hinterhalt lauern. Wenn der *NJ7* ihn tatsächlich beobachtet hatte, würden sie diese Gelegenheit nicht ungenutzt verstreichen lassen. Es gab keine Autos und die einzigen Gebäude waren riesige von hohen Mauern oder dichtem Laub abgeschirmte Villen. Niemand würde etwas von einem Angriff mitbekommen.

Eva hatte ihm gesagt, er würde wissen, was zu tun ist, und nun schien das ziemlich einfach – einen Computer zu finden, den USB-Stick anzuschließen und seinen Inhalt zu studieren. Den Gedanken, die Computer im Institut zu benutzen, hatte er rasch wieder verworfen. Jede Sekunde konnte ein Team von Bewaffneten eintreffen, und Jimmy hatte nicht vor, ihnen die Arbeit noch einfacher zu machen, indem er dort an einer Tastatur auf sie wartete. Stattdessen schlüpfte er durch das Fenster zurück in die Dämmerung.

Er hatte noch keine Ahnung, wohin er gehen sollte. Den USB-Stick hielt er in seiner geballten Faust. Er erwog, in das nächste Haus einzubrechen und sich für ein paar Minuten einen Computer zu leihen, aber das widersprach jedem Instinkt: Die Bewohner würden sicherlich die Polizei rufen und das würde Ärger bringen. Vielleicht hatte Eva es irgendwie geschafft, den *NJ7* davon abzuhalten, ihm aus dem Institut zu folgen, und wenn er in ein Haus in der Nähe gestolpert wäre, hätte das nur ihre Bemühungen zunichtegemacht.

Jimmy merkte auf, als sich von hinten ein Wagen näherte. Der Motor klang kraftvoll – ein tiefes, gleichmäßiges Brummen, das sich mit dem Rumpeln der Reifen auf der Straße vermischte. Jimmy wäre sofort in Deckung gesprungen, aber das Geräusch weckte eine Erinnerung in ihm. Automatisch verlangsamten sich seine Schritte. Wie konnte er bloß am Geräusch des Motors erkennen, dass dieses Auto keine Bedrohung darstellte?

Vorsichtig blickte er über seine Schulter. Dabei wurde ihm klar, dass dies kein gewöhnliches Auto war. Der Klang eines Bentley, der über eine Landstraße glitt, war unverkennbar – einmal gehört, nie vergessen. Und Jimmy würde sicherlich nie den einzigen Mann vergessen, der einen solchen Bentley besaß – Christopher Viggo. Viggo hatte das Auto dreizehn Jahre zuvor aus der französischen Botschaft gestohlen, auf der Flucht vor dem *NJ7*.

Jimmy schlenderte jetzt nur noch und konnte nicht umhin zu lächeln, während der blaue Bentley neben ihm herfuhr. Er sah viel schicker aus als beim letzten Mal, als er noch mit Dellen und Kratzern übersät gewesen war. Das Fenster auf der Beifahrerseite senkte sich und der Fahrer lehnte sich hinüber.

»Du weißt, dass du dich nicht von fremden Männern mitnehmen lassen sollst, oder?« Es war tatsächlich Viggo.

»Und du hattest nichts Besseres zu tun, als dein Auto zu reparieren?«, konterte Jimmy. »Das Ding war schrottreif, als ich es das letzte Mal sah. Und war es nicht mal grün?«

»Quatschen wir die ganze Nacht so weiter oder steigst du nun ein?«

Jimmy grinste und sprang auf den Beifahrersitz. Er konnte nicht glauben, dass er wieder mit Christopher Viggo vereint war. Es warf so viele Fragen auf, dass er nicht wusste, wo er anfangen sollte. Alles, was er tun konnte, war, den Mann anzulächeln.

Aber Viggo lächelte nicht zurück.

»Was geht da vor, Jimmy?«, knurrte er und jagte den Bentley durch die Kurven. Er griff in die Innentasche seiner Jacke und schnippte Jimmy ein Blatt zu. »Was soll das alles?«

Jimmy entfaltete das Papier und starrte auf Zahlen, Grafiken und Namen von Chemikalien mit einigen gekritzelten Kommentaren am unteren Rand. Bevor Jimmy herausfinden konnte, um was es sich handelte, fuhr Viggo mit angespannter Stimme fort: »Der Arzt hat es mir gegeben«.

»Der Arzt?«, keuchte Jimmy. »Sie meinen Professor Wilson?«

»Nein – der Arzt im Krankenhaus. Derjenige, der dich verbunden und in einer verlassenen Station im obersten Stockwerk festgehalten hat. Oder erinnerst du dich nicht mehr?«

Jimmy wusste nicht, was er sagen sollte, und seine Verwirrung war offensichtlich.

»Er und ich hatten ein kleines Gespräch«, erklärte Viggo, »kurz bevor er ...« Viggos Stimme versagte für einen Augenblick, dann holte er tief Luft. »Ich war zu spät, um den *NJ7* von dem abzuhalten, was auch immer sie ihm angetan haben. Und vielleicht hat er es verdient, wenn er dich ihnen ausgeliefert hat. Aber er besaß noch genug Kraft, um mir zu sagen, was er ihnen gesagt hatte, und sogar noch ein bisschen mehr, als er erkannte, dass ich ein Freund von dir bin. Ich glaube, es tat ihm wirklich leid, dich verraten zu haben. Er murmelte ständig etwas darüber, dass er nicht wusste, dass du menschliche Gefühle hast. Er vergeudete seinen letzten Atem, indem er sich entschuldigte.«

»Letzter Atem?«, flüsterte Jimmy, und ihm wurde plötzlich eiskalt.

Für einen Augenblick herrschte angespannte Stille.

»Es tut mir leid, Jimmy.« Viggo zuckte mit den Schultern. »Ich werde nie gut darin sein, schlechte Nachrichten zu überbringen.«

Jimmy unterdrückte seine Gefühle und versuchte, sich einen Reim auf die Ereignisse zu machen. Also waren zwei Männer wegen ihm gestorben in dieser Nacht. Ein Arzt und ein Professor.

»Woher wusstest du überhaupt, dass ich im Krankenhaus war?«, fragte er und versuchte das Beben in seiner Stimme zu kontrollieren.

»Ich habe dich in einer Nachrichtensendung gesehen«, erklärte Viggo. »Nach der Explosion im Hochhaus zeigten sie alle Verletzten, die ins Krankenhaus gebracht wurden.« Er blickte mit einem Augenzwinkern zu Jimmy. »Du musst aufpassen, wo du dein Gesicht hinhältst, Jimmy. Du könntest dich verbrennen.«

»Sehr lustig«, erwiderte Jimmy trocken.

»Du warst nur für den Bruchteil einer Sekunde auf dem Bildschirm«, fuhr Viggo fort, »aber du hast Glück, dass dich niemand beim *NJ7* gesehen hat. Sie mussten auf den Hinweis des Arztes warten. Sonst hätten sie dich bereits töten lassen, während du bewusstlos warst.«

Natürlich, dachte Jimmy. Er konnte sich vage an das Nachrichtenteam vor dem Krankenhaus erinnern, aber er war nahezu ohnmächtig gewesen, sodass er sich nicht vor den Kameras hatte verstecken können.

»Also, raus damit!« Viggo schreckte Jimmy aus seinen Gedanken auf. »Worum geht es auf diesem Stück Papier?«

»Ich weiß nicht«, antwortete Jimmy leise. Seine Augen flogen über die Seite und nahmen kaum etwas auf. »Du bist doch derjenige, der es mir gegeben hat.«

»Und ich bekam es vom Arzt im Krankenhaus. Er wollte unbedingt, dass du weißt, dass er es vor dem *NJ7* versteckt hat. Also muss es wichtig sein. Was bedeutet das ganze Zeug da unten über die *Zerfallsgeschwindigkeit* oder so ähnlich?«

Jimmy starrte auf die verschnörkelte Handschrift. Es war schwer, die Worte zu erkennen, weil das Papier dünn war und es nicht genug Licht gab. Nach dem ersten Lesen ergab es überhaupt keinen Sinn, bis es ihm plötzlich dämmerte.

»Er hat mein Blut getestet«, keuchte Jimmy. »Er hat mich tatsächlich getestet …« Jimmys Hand begann zu zittern. Die blauen Flecken an seinen Fingerspitzen schimmerten im schwachen Licht, als ob sein eigener Körper ihn verspotten wollte.

»Wovon redest du?«, fragte Viggo ungeduldig.

Jimmys Worte sprudelten nur so hervor, während er die Notizen des Arztes las.

»Ich habe dem Arzt eine Blutprobe gegeben«, erklärte er. »Um Tests durchzuführen. Als ich herausfand, dass er den *NJ7* angerufen hatte, nahm ich an, dass er sie gar nicht gemacht hatte, doch er muss seine Meinung geändert haben. Denn das sind die Ergebnisse.«

»Tests wofür?« fragte Viggo. »Was ist –«

»Strahlenvergiftung«, unterbrach ihn Jimmy.

Viggo zog eine erschrockene Grimasse, aber Jimmy fuhr fort, bevor sein Freund etwas sagen konnte. »Es ist eine lange Geschichte. Die Franzosen haben mich ausgetrickst. Ich wurde verstrahlt und sollte längst tot sein, aber das bin ich nicht. Und demnach …« Erneut überflog er die Testergebnisse, jedes Wort und jede Statistik bekam eine neue Bedeutung. Er spürte Hitze in seinem Gesicht.

»Es geht um die Zerfallsgeschwindigkeit …«, sagte Viggo. »Was ist das?«

Jimmy strich mit dem Finger über die Notizen des Arztes, aber das dauerte Viggo zu lange. Der Mann schnappte sich das Papier, hielt es gegen das Lenkrad und wanderte mit dem Blick zwischen den Notizen und der Straße hin und her.

»Die *Zerfallsrate*«, korrigierte er sich selbst. »Hier steht, sie sei viel langsamer als üblich. Und nur ein geringer Prozentsatz deiner Zellen vermehrt sich unregelmäßig.« Er las weiter, während er gleichzeitig versuchte, sich auf das Fahren zu konzentrieren. »Hier steht etwas über eine *verlängerte Latenzphase* … Jimmy …« Seine Stimme klang freudig. »So könntest du eine Zeit lang überleben!«

»Eine Zeit lang?«, wiederholte Jimmy und schnappte sich das Papier zurück. »Wie lange?«

»Das ist alles, was da steht – *eine Zeit lang*.«

»Was?«, rief Jimmy, und seine Erregung brach sich in einem heftigen Wutausbruch Bahn. »Wie *viel* Zeit?! Und was kann ich tun, um mich zu heilen?! Das ist sinnlos!« Er schlug mit den Handflächen gegen das Armaturenbrett.

»Was ist dein Problem, Jimmy?«, schrie Viggo. »Dir wurde gerade gesagt, dass du nicht stirbst. Komm drüber weg.«

Jimmy hatte noch nie so starke und widersprüchliche

Gefühle empfunden. »Ich sterbe trotzdem«, fauchte er zwischen zusammengebissenen Zähnen. »Das hier besagt nur, dass ich *langsam* sterbe.«

»Willkommen im Klub«, schoss Viggo zurück. »Willkommen bei der menschlichen Rasse: *Langsam sterben* ist das Einzige, was wir alle gemeinsam haben.«

Jimmy schloss für eine Sekunde die Augen, als ob er Viggos Stimme ausblenden wollte. Es gab ein Wort, das sich immer direkt in Jimmys Herz bohrte: *menschlich*. Langsam begann Jimmy zu verstehen, was ihn so sehr störte. Die Testergebnisse zwangen ihn, der albtraumhaften Tatsache ins Auge zu sehen, dass er zwar nicht ganz menschlich war, aber trotzdem nicht unverwundbar. Es war ein weiterer Aspekt seines Schicksals, den er nicht kontrollieren konnte, und es sah nicht so aus, als gäbe es Ärzte, die ihm ohne Risiko für ihr eigenes Leben helfen könnten.

»Es tut mir leid, Jimmy«, flüsterte Viggo. »Ich wollte nicht …«

»Ist schon okay«, sagte Jimmy, der sich endlich ein wenig beruhigte.

»Du kriegst bessere Laune, wenn du erst die anderen triffst.«

Die anderen?, dachte Jimmy. Dann explodierte in ihm ein Gefühl echter Freude: seine Mutter, seine Schwester und Felix.

»Sie sind bei dir?«, fragte er und hüpfte fast auf seinem Platz auf und ab.

Viggo nickte.

»Ich wusste es! Geht es ihnen gut?«

»Sie vermissen dich«, antwortete Viggo mit einem leichten Lächeln. »Aber abgesehen davon …«

»Wann kann ich sie sehen?«

»Rate mal, wohin wir gerade unterwegs sind?«, kicherte Viggo. Er drückte seinen Fuß noch fester auf das Gaspedal, der 7-Liter-V8-Doppelturbomotor des Bentleys reagierte mit einem Schnurren und machte einen Satz nach vorne.

»Und was ist mit Saffron?«, fragte Jimmy vorsichtig. Das letzte Mal, als er Viggos Freundin gesehen hatte, wäre sie beinahe durch eine *NJ7*-Kugel verblutet.

»Ihr geht es auch gut.« Zum ersten Mal breitete sich ein echtes Lächeln auf Viggos Gesicht aus.

Jimmy boxte vor Begeisterung in die Luft. Er war so aufgeregt, alle wiederzusehen, dass er fast den Plastikstreifen vergaß, den er in seiner Faust umklammert hielt.

»Hast du einen Computer?«, fragte er endlich.

»Natürlich«, antwortete Viggo. »Warum?«

»Ich habe Eva getroffen«, erklärte Jimmy und hielt den USB-Stick hoch.

Viggo blickte von Jimmys Hand zu seinem Gesicht. »Eva?«, keuchte er. »Hat sie dir das gegeben?«

Jimmy musste nichts sagen. Plötzlich trat Viggo auf die Bremse und lenkte zum Straßenrand hinüber. Sie waren immer noch in den Vororten Londons, aber die Straßen waren jetzt dichter bebaut, und sie kamen unter einer Laterne zum Stehen.

»Wenn Eva dir das gegeben hat«, sagte Viggo und fummelte an der Klimaanlage auf dem Armaturenbrett herum, »hat sie es geschafft, etwas aus dem *NJ7*-Hauptquartier herauszuschmuggeln, das wir sehen müssen. Und das bedeutet, dass wir es *sofort* sehen müssen.«

Er drehte einen weiteren Knopf, was ein Klicken verursachte, und der gesamte Mittelteil des Armaturenbretts öffnete sich. Viggo griff hinein und zog einen Laptop heraus.

Jimmy war schwer beeindruckt und konnte es kaum verbergen.

»Als ich die Karosserie des Autos überarbeitete«, erklärte Viggo, »stellte sich heraus, dass dieses Ding überall Geheimfächer hat. Vermutlich gibt es welche, die selbst ich noch nicht gefunden habe.«

Er startete eilig den Laptop und nahm den USB-Stick von Jimmy entgegen.

»Warte«, sagte Jimmy. »Was, wenn es …«

»Sprengfalle?« Viggo schürzte die Lippen und schüttelte leicht den Kopf. »Traust du Eva nicht?«

»Natürlich tue ich das«, protestierte Jimmy. Es sollte sicher klingen, doch seine Stimme verriet Zweifel. »Es ist nur … sie wollte mir noch etwas sagen, als sie es mir gab.«

»Was?«

»Ich weiß nicht. Sie konnte nicht wirklich offen sprechen, um nicht zu verraten, dass wir immer noch auf der gleichen Seite stehen. Wir wurden beobachtet.«

»Kameras?«

Jimmy nickte.

»Jimmy.« Viggo seufzte, strich sich mit den Händen durch sein Haar und versuchte offensichtlich, alle Risiken abzuwägen. »Wenn der *NJ7* dich beobachtet hat, warum sind sie dir dann nicht vom Institut aus gefolgt? Warum haben sie dich nicht …«

»Ich weiß, ich weiß«, erwiderte Jimmy. »Warum haben sie nicht versucht, mich zu töten, obwohl sie genau wussten, wo ich war?«

»Vielleicht konnten sie es nicht«, schlug Viggo vor. »Glaub mir, wenn es ihnen möglich gewesen wäre, hätten sie es getan.«

Natürlich hatte Viggo recht, aber trotzdem stimmte irgendetwas nicht. Jimmy hatte keine Ahnung, was es war, und eine innere Stimme sagte ihm, dass die Antwort vielleicht auf diesem Stick sein würde. Er machte Viggo ein rasches Zeichen, ihn einzustecken.

Sobald der Stick angeschlossen war, tauchte ein Videobild auf. Selbst auf der grobkörnigen Aufnahme erkannte Jimmy sofort seinen sogenannten Vater. Das Standbild von Ian Coates ließ in Jimmys Bauch ein Feuerwerk explodieren. Angst, Wut und Zweifel, vermischt mit alten Gefühlen von Vertrautheit, schossen so heftig durch sein Inneres, dass er sich verzweifelt wünschte zu sterben.

Jimmys Vater saß hinter einem Tisch, die Schultern der Leute neben ihm waren nur im Anschnitt zu sehen. Der Raum schien luxuriös ausgestattet, aber mehr konnte Jimmy auf dem Bildschirm nicht erkennen.

»Drück auf *Start*«, forderte Jimmy ungeduldig, unfähig, den Blick vom Bildschirm abzuwenden.

Mit einem Mausklick von Viggo erwachte Ian Coates zum Leben. Seine Augen schienen aus seinem Kopf zu quellen, und er schwankte in seinem Stuhl, als ob er jeden Moment umkippen könnte. Aber viel verstörender als die Bilder war die Tonspur. Zuerst ertönten nur gedämpfte Stimmen, aber dann war Ian Coates' Stimme deutlich vernehmlich.

»Wir werden dieses Hochhaus in die Luft jagen«, erklärte er.

Jimmy lehnte sich näher an die Lautsprecher des Laptops heran, unfähig zu glauben, was er gerade gehört hatte.

»Wir werden das Hochhaus auf dem Walnut Tree Walk sprengen!«, rief Ian Coates. Er schlug mit der Faust auf den Tisch und ließ das Bild leicht ruckeln. »Und wenn jemand ein Problem damit hat, dann kann er jetzt sofort diesen Raum verlassen!«

Das war das Ende des Videoclips.

Eva hielt sich aufrecht, während sie sich vom Institutsgebäude entfernte, obwohl sie am liebsten in den Boden versunken wäre. Sie zog ihren Mantel enger um sich und wünschte, er könnte sie komplett verschwinden lassen. Außerhalb des Tores begann sie zu rennen. Zwanzig Meter den Ridgeway hinauf bremste eine schwarze Limousine neben ihr ab und die Hintertür wurde aufgestoßen. Eva sprang hinein und die Limousine gab wieder Gas, ohne jemals ganz angehalten zu haben.

Die Wärme im Inneren des Autos war erstickend. Eva hatte noch nie so hart kämpfen müssen, um Tränen zurückzuhalten, aber jetzt war es wichtiger denn je, dass sie nichts von ihren Emotionen preisgab.

»Hat er es gefunden?«, ertönte eine leise Stimme vom Beifahrersitz.

Eva zitterte zu sehr, um zu antworten.

»Hat er geglaubt, dass du ihm hilfst?«, fragte die Frau von vorne streng. Sie drehte sich um und Eva spürte den prüfenden Blick von Miss Bennett auf sich ruhen. »Ist er darauf reingefallen?«

Eva konnte nur nicken.

KAPITEL 12

Jimmy und Viggo waren sprachlos. Viggo spielte den Clip noch einmal, und auch danach wusste keiner, was er sagen sollte. Dann startete Viggo das Video ein drittes Mal.

»Genug!«, schnappte Jimmy. Er schubste Viggos Hand weg und stoppte die Wiedergabe.

»Ich kann es nicht glauben«, flüsterte Viggo mit aschfahlem Gesicht. »Ich wusste, dass die Regierung böse ist, aber das … das ist psychotisch.«

Jimmy starrte wie gebannt auf das leicht verschwommene Standbild von Ian Coates. Es schien ihn anzugrinsen.

»Ich …« Jimmy brachte keinen Ton heraus. Jeder Atemzug kostete ihn große Mühe.

»Es ist okay, Jimmy«, versuchte Viggo ihn zu beruhigen. »Er ist nicht dein Vater. Er ist nur …«

»Er *ist* mein Vater!«, schrie Jimmy. »Vielleicht ist er nicht mein leiblicher Vater, aber er hat mich großgezogen. Und er ist definitiv Georgies Vater. Ich kann nicht glauben, dass er so etwas tun würde! Warum sollte er?« Jimmy konnte seine Wut kaum mehr kontrollieren. »Und warum hat Eva mir das gezeigt? *Warum* sollte sie …« Er verstummte und schloss den Deckel des Laptops.

Viggo packte ihn an den Schultern. »Eva wusste, dass es schwer für dich sein würde, das zu sehen«, sagte er mit leiser ruhiger Stimme. »Natürlich war ihr das klar. Wahrscheinlich war es das, was sie dir sagen wollte und nicht konnte. Aber sie wusste auch, dass du die einzige Person bist, die von diesem Video den richtigen Gebrauch machen kann.«

»Was meinst du mit *den richtigen Gebrauch machen*?« Schon als Jimmy die Frage stellte, war ihm die Antwort klar. Er musste sicherstellen, dass so viele Leute wie möglich es sahen. »Wir müssen das ins Internet stellen«, flüsterte er. »Wenn die Leute erfahren …«

»Nicht ins Internet, Jimmy«, unterbrach ihn Viggo. »Der *NJ7* wird eine Webseite nach der anderen abschalten. Ein paar Leute werden es sehen, aber die Auswirkungen wären minimal.« Er zog sein Handy aus der Tasche und wählte eine Nummer. »Wir müssen es dort hinbringen, wo es Millionen von Menschen auf einmal sehen. Darauf habe ich gewartet, seit ich den *NJ7* verlassen habe.« Er drückte das Telefon gegen sein Ohr. »Das könnte die Regierung zu Fall bringen. Wir müssen diese Sendung ins Fernsehen bringen.«

Zuerst wurde Jimmys Wut auf seinen Vater von der Aufregung über den neuen Plan in den Hintergrund gedrängt. Viggo hatte recht – wenn sie diesen Clip auch nur einmal im Fernsehen zeigten, könnte der *NJ7* das

Ganze nicht mehr vertuschen. Die Fernsehsender wurden engmaschig kontrolliert, sodass es nicht einfach werden würde. Aber sein Kopf arbeitete bereits auf Hochtouren an einem möglichen Plan, wie es trotzdem gelingen könnte. Doch dann schweiften seine Gedanken ab. Sein Herzschlag verlangsamte sich. Erneut meldeten sich die Zweifel in ihm.

»Chris«, sagte Jimmy leise, aber Viggo telefonierte bereits und verabredete sich mit jemandem für den Abend. »Chris, das ist nicht richtig.«

Viggo beendete seinen Anruf und sah Jimmy verwirrt an.

»Was, wenn der *NJ7* wollte, dass ich es bekomme?«, fragte Jimmy.

Viggo zuckte mit den Achseln. »Dann hat jemand beim *NJ7* erkannt, was wir bereits wissen: Die Neodemokratie muss beendet werden. Es ist kein Geheimnis, Jimmy. Und dieser jemand beim *NJ7* war – Eva. Sie filmte das und wollte, dass es irgendwie an die Öffentlichkeit gelangt. Und du bist die geeignete Person, genau das zu ermöglichen.«

Was Viggo sagte, ergab durchaus Sinn, trotzdem konnte Jimmy sein Misstrauen nicht abschütteln. *Entspann dich*, ermahnte er sich. Sicher fühlte er sich nur unwohl, weil er in der Vergangenheit häufig missbraucht worden war Aber das hier war anders. Dies kam von seiner Freundin, und was auch immer ihre Motive waren, die Fakten lagen offen. *Ian Coates hatte die Zerstörung eines Londoner Hochhauses angeordnet.* Er hatte einen Anschlag auf seine eigenen Landsleute geplant, vermutlich um den Franzosen die Schuld zu geben.

Jimmy blieb wohl keine allzu große Wahl. Viggo war offenbar fest entschlossen. Er hatte das Auto gestartet, rollte hinaus auf die Straße und beschleunigte mit einer erstaunlichen Geschwindigkeit.

»Hör zu, Jimmy«, sagte er und drückte noch fester aufs Gas. »Es sieht so aus, als müsste dein Familientreffen warten.«

Jimmy warf ihm einen fragenden Blick zu.

»Ich habe Saffron gebeten, sich mit uns zu treffen. Sie arbeitet bereits daran.«

»An was?« Jimmy verstand nicht. Warum konnten sie nicht gleich zu seiner Familie fahren?

»Jimmy«, Viggos Stimme klang drängend, fast ein wenig ungeduldig. »Wir dürfen keine Zeit verschwenden. Es ist schon spät geworden. Wenn wir noch länger warten, werden alle schlafen, und niemand wird fernsehen. Und bis morgen könnten wir unsere Chance verpasst haben.« Die Lichter des Armaturenbretts spiegelten sich in seinen Augen und ließen ihn noch konzentrierter wirken. »Du hältst den einzigen Beweis in Händen, der dieses Land wieder zu einer echten Demokratie machen könnte.«

Jimmy kapierte nicht, warum die Demokratie nicht bis nach dem Treffen mit seiner Familie warten konnte, aber Viggo schien nicht zu einem Einlenken bereit.

»Meinetwegen«, sagte er mit einem Achselzucken.

»Meinetwegen!?«, brauste Viggo auf. Ärgerlich schlug

er mit der Handfläche gegen das Lenkrad. »Das ist wichtig, Jimmy. Hier geht es um die Demokratie! Ist es dir denn gleichgültig, dass dein Land von einem Irren regiert wird?«

Jimmy spürte plötzlich Tränen in seinen Augen. Er drehte das Gesicht zum Fenster und sah die mit Holzplatten vernagelten Geschäfte vorbeifliegen. Als Jimmy nicht antwortete, brach Viggo das Schweigen.

»Es tut mir leid«, murmelte er. »Ich weiß, du willst zu den anderen. Aber vermutlich weiß der *NJ7* bereits, dass ein Videoclip rausgeschmuggelt wurde, und verdoppelt alle Überwachungsmaßnahmen rund um die Sendestationen. Sie würden das gesamte Internet abschalten und die Fernsehübertragung komplett unterbrechen.«

»Was?« Jimmy staunte.

»Mit Sicherheit würden sie das tun. Die Regierung will unbedingt an der Macht bleiben, daher würden sie die *Corporation* zwingen, die Stecker sämtlicher Kommunikationssysteme zu ziehen.«

»Sie kontrollieren wirklich *alles*?« fragte Jimmy. Er hatte von der *Corporation* gehört, und von den krassen Zensurmaßnahmen der Regierung, aber er hatte nicht geahnt, dass sie die Medien so fest im Griff hatten.

»Sie könnten sich niemals an der Macht halten, wenn sie nicht durch die *Corporation* den Zugang der Bevölkerung zu Informationen kontrollieren würden, Jimmy.« Viggo sog die Luft durch seine Zähne ein und murmelte dann: »Ich glaube, das ist der wahre Schlüssel zur Macht.«

Viggos Fuß hob sich kaum einmal vom Gaspedal. Er jagte den Bentley geschickt durch ein Labyrinth aus Gassen und Nebenstraßen in Richtung von Londons Zentrum. Jimmy konnte die Ortskenntnisse und den Orientierungssinn des Mannes nur bestaunen. Sie wichen nicht nur dem Verkehr aus, sie benutzten auch die Route mit den wenigsten Überwachungskameras. Langsam wurde ihm klar, wie der Staatsfeind Nr. 1 sich ständig durch die Hauptstadt bewegen konnte, ohne erwischt zu werden.

Nach wenigen Minuten bogen sie in eine Tiefgarage und verlangsamten das Tempo vor einer Sicherheitsschranke. Jimmy war sich sicher, dass sie jetzt auf Video aufgenommen würden, aber dann bemerkte er, dass die Überwachungskameras verdreht worden waren. Sie filmten lediglich die Räder des Autos. Die Schranke hob sich wie von selbst, um sie passieren zu lassen. Erst beim Durchfahren bemerkte Jimmy den winzigen Laserscanner, der mit einem Gummiband am Sicherheitsbügel der Schranke befestigt war.

»Ziemlich simpel«, sagte Viggo, der offenbar Jimmys Gedanken erahnte, »aber es funktioniert eine Weile. Und wenn sie das alles entdecken und wieder in Ordnung bringen, habe ich längst ein Dutzend anderer sicherer Orte gefunden, wo ich für ein paar Stunden verschwinden kann.«

Jimmy fragte sich, ob er selbst auf etwas Ähnliches gekommen wäre. Vielleicht hätte ihn seine Programmierung zu einer noch besseren Lösung geführt. Aber konnten sich seine besonderen Fähigkeiten wirklich mit den Erfahrungen eines Mannes messen, der viel länger auf der Flucht gelebt hatte als er?

Von ihrem geparkten Wagen aus war es ein kurzer Spaziergang zum Treffen mit Saffron – in einem schäbigen kleinen Café. Das Lokal hatte schon geschlossen, aber als Viggo gegen das Fenster klopfte, ging ein Licht an, und ein muskulöser junger Mann schloss ihnen die Tür auf. Er begrüßte sie mit einem knappen Nicken und verschwand dann wieder in der Küche.

»Du musst ein Stammkunde sein«, murmelte Jimmy.

»Ein Freund am richtigen Ort ist manchmal effektiver als eine Waffe«, erklärte Viggo.

»Irgendeine Chance auf was Gebrutzeltes?« Jimmys Magen knurrte.

»Die Küche ist geschlossen.«

Bevor Jimmy reagieren konnte, ertönte ein weiteres Klopfen gegen das Fenster, im gleichen Rhythmus wie bei Viggo. Es war Saffron, aber sie war nicht allein. Als Viggo die Tür aufschloss, um die Neuankömmlinge hereinzulassen, dachte Jimmy, das schwache Licht würde ihm Streiche spielen. Die zweite Person war seine Mutter.

»Jimmy!«, schrie Helen Coates und stürzte auf ihn zu, um ihn zu umarmen.

»Ich dachte, wir könnten bei dieser Aktion noch ein bisschen Unterstützung gebrauchen«, erklärte Saffron.

Jimmy ließ sich von seiner Mutter drücken, bis er dachte, seine Augen würden ihm aus dem Kopf springen. In seinem Inneren fühlte sich alles taub an. Er hörte Saffrons und Viggos leises Gespräch, ohne ihre Worte wirklich zu verstehen. Es dauerte eine ganze Minute, bis er genug Kraft fand, um die Umarmung seiner Mutter erwidern zu können.

Schließlich ließ sie ihn los, hielt ihn eine Armlänge auf Abstand und saugte den Anblick ihres Sohnes förmlich in sich auf.

»Dein Gesicht!«, keuchte sie und berührte mit ihren Fingern die Verbrennungen auf Jimmys Wange.

»Mum!«, protestierte er und wich zurück. Er hatte die Verbrennungen fast vergessen, aber die Haut dort fühlte sich immer noch wund an.

»Was ist passiert?«, fragte Helen.

Jimmy wusste nicht, wo er anfangen sollte. Er war versucht, seinen Ärmel hochzukrempeln und ihr zu zeigen, dass nicht nur sein Gesicht gelitten hatte, aber im letzten Moment erkannte er, dass es wahrscheinlich einige Dinge gab, von denen sie nichts wissen musste – zumindest *noch* nicht.

»Nichts«, sagte er. »Ich habe nur vergessen, Sonnencreme aufzutragen.«

Seine Mutter boxte ihn spielerisch gegen die Schulter. »Versuch nicht, mich zu verscheißern, Kumpel.« Sie lächelte breit und zog ihn für eine weitere Umarmung an sich. »Wir haben deinen Geburtstag nicht gefeiert«, flüsterte sie.

Zum ersten Mal durchdrang etwas Jimmys Taubheit. Etwas durchbohrte seine Brust und er wäre am liebsten zu Boden gesunken und hätte sich zu einem Häufchen zusammengerollt. Nur die Wärme der Umarmung seiner Mutter hielt ihn aufrecht. Er drückte sein Gesicht an ihre Schulter, um nicht zu weinen.

»Tut mir leid, dass ich stören muss«, unterbrach sie Viggo.

Jimmy zuckte zusammen und seine Muskeln verspannten sich wieder, bildeten einen Panzer um seine Gefühle.

»Können wir Gefühlsdinge auf später verschieben? Wir haben nicht viel Zeit.«

»Hey, Jimmy«, fügte Saffron hinzu. »Chris sagte, du hättest keine Schuhe.« Sie warf ihm ein Paar alte Sneaker zu und fuhr dann damit fort, Karten, Diagramme, Terminpläne und Fotos auf einem der Tische auszubreiten. Dann zog sie eine schwarze Aktentasche mit Computer und einen riesigen Rucksack mit etwas, das wie eine Überlebensausrüstung aussah, hervor.

»Was ist das alles?«, fragte Jimmy, der sich von dem Brennen in seinen Augen ablenken wollte, und deutete auf die Dokumente.

»Das ist die *Corporation*«, erklärte sie. »Sie kontrollieren die einzigen Fernsehsender des Landes. Jedes Programm wird an einen dieser Sendemasten übertragen, von dem aus es landesweit ausgestrahlt werden kann. Unsere beste Chance, den Videoclip ins Fernsehen zu bringen, besteht darin, direkt zum Ausstrahlungsort zu gehen. Der nächste Sendemast ist auf dem Dach des *Corporation*-Gebäudes.« Sie deutete auf einen Punkt auf der Karte. »Regent Street.«

Jimmy überflog die Fotos des Gebäudes.

»Es wäre einfacher, einen ihrer Sendewagen zu entführen«, schlug er vor. »Du weißt schon, wie die vor dem Krankenhaus für die Nachrichten.«

»Es würde nichts nützen«, antwortete Saffron. »Was auch immer wir im Ü-Wagen machen, wir müssten trotzdem noch über einen der Sender der *Corporation* gehen. Wir haben dann vielleicht die Kontrolle über ihren Aufnahme-Wagen, aber sie würden immer noch entscheiden, ob wir auf die Fernsehschirme kommen oder nicht. Deshalb müssen wir im Gebäude der *Corporation* selbst zuschlagen, und zwar schnell.«

Jimmys Verstand schwirrte, und er war erleichtert, an etwas anderes denken zu können als an die Wiedervereinigung mit seiner Mutter. Trotzdem hatte er keine Ahnung, wie das funktionieren sollte.

»Selbst wenn wir in das Gebäude kommen«, sagte er, »wie sollen wir sie dazu bringen, den Videoclip im Fernsehen zu zeigen? Ich kann vielleicht herausfinden, wie man die Anlage dort steuert. Ich meine, mit meinen, du weißt schon …«

»Es ist okay, Jimmy«, beruhigte Viggo ihn. »Wir müssen deren Anlage nicht benutzen.«

»Warte«, mischte Helen sich ein. »Es klingt, als müssten wir ein ganzes Studio in Schach halten.«

Viggo wackelte leicht mit dem Kopf. »Wir müssen vielleicht …«, er hielt inne und suchte nach den richtigen Worten, »… ein oder zwei Leute überreden, vorübergehend für uns zu arbeiten.«

»Die werden uns abknallen«, erklärte Helen, sich der schockierenden Wirkung ihrer Worte offensichtlich bewusst. »Das ist die *Corporation*. Es könnte ebenso gut die private Fernsehgesellschaft des *NJ7* sein. Wir reden hier nicht über den Disney Channel.«

»Was ist der Disney Channel?«, fragte Jimmy.

»Egal«, sagte Helen.

»Vermutlich«, murmelte Viggo, »würde der Disney Channel uns auch erschießen, wenn wir etwas Ähnliches dort versuchten.«

»In Ordnung«, sagte Saffron und hob die Hände. »Erschossen zu werden, bevor wir den Job erledigt haben, ist das Extremszenario. Aber hoffentlich wird es nicht so weit kommen. Ich denke, wenn wir schnell genug handeln, müssen sie überstürzt reagieren. Vermutlich werden sie erst die Stromversorgung des Studios unterbrechen oder die Übertragung auf andere Weise sabotieren.« Sie dachte eine Sekunde nach. »Und *dann* werden sie uns erschießen.«

»Jimmy sollte nicht dabei sein«, wandte Helen ein. »Er kann zurück zur London Bridge, wo er in Sicherheit ist.«

»London Bridge?«, fragte Jimmy. »Was ist da?«

»Im Augenblick«, erklärte Viggo, »nur Felix und Georgie. Sie sind an einem sicheren Ort in den Tunneln unter dem Bahnhof London Bridge. Dort sind wir jetzt stationiert.«

»Und da gehst du auch gleich hin«, sagte Jimmys Mutter. »Ich nehme dich mit.«

»Warte«, sagte Viggo, mit einem kurzen Blick auf Saffron. »Ich glaube, wir werden ihn brauchen.«

»Er ist nur …« Helen brachte ihren Satz nicht zu Ende. Es war jedem klar, dass es Unsinn war, Jimmys Alter zu erwähnen. Viggo und Helen waren ehemalige *NJ7*-Agenten, und Saffron war ähnlich gut ausgebildet worden, aber keiner von ihnen besaß Jimmys außergewöhnliche Fähigkeiten.

»Wie du schon sagtest«, flüsterte Viggo und sah Helen aufmerksam in die Augen. »Das ist die *Corporation*. Es wird uns alle vier brauchen.«

Jimmy hasste es, wenn über ihn geredet wurde, als wäre er nicht anwesend. »Mama, ich habe …« Am liebsten hätte er ihr von seinen Erlebnissen der letzten Zeit erzählt. Er hatte eine Ölplattform gesprengt, eine Uranmine zerstört, zwei Flugzeugabstürze, mehrere Explosionen, hohe Schneeberge und die Wüste überlebt. Und das waren nur die ersten Dinge, die ihm in den Sinn kamen. Aber er hielt sich zurück. Diese Schilderungen würden die Sorge seiner Mutter nur noch verstärken.

Schließlich verkündete Helen: »Zeig mir den Plan, dann entscheide ich, ob Jimmy mit uns kommt.«

Viggo sah von Jimmy zu Helen und zurück. »Vielleicht solltest du dir zuerst den Clip anschauen«, sagte er. »Dann wirst du –«

»Ich will ihn nicht sehen«, schnappte Helen. »Das muss ich nicht. Lass uns den Plan klären, dann entscheide ich, ob Jimmy ein Teil davon ist.« Ihr Tonfall machte unmissverständlich klar, dass sie keine Diskussion wollte. Sie wandte sich den Unterlagen auf dem Tisch zu.

»O.k.«, verkündete Saffron, über die Papiere gebeugt. »Ich denke, wir sollten Folgendes tun …«

»Sei vorsichtig mit meinem Auto«, sagte Viggo und übergab Helen die Schlüssel.

»Sei vorsichtig mit meinem Sohn«, war die Antwort.

Helen umarmte Jimmy ein letztes Mal und warf Viggo einen ernsten Blick zu. Dann fuhr sie den Bentley allein zum Elektrizitätswerk in Clapham. Es war schon eine Weile her, dass sie als Geheimdienst-Agentin tätig gewesen war, aber sie fuhr schnell, und kurz darauf war sie bereits in das E-Werk eingebrochen. Wobei ihr die beiden Drahtscheren aus dem Heck des Bentleys gute Dienste erwiesen.

Im Flutlicht gab es kaum ein Versteck und innerhalb von Sekunden hatte der Nachtwächter sie auf der Überwachungskamera entdeckt. Aber bevor er nach seinem Walkie-Talkie greifen konnte, war Helen schon in seiner Kabine. Er konnte sich nicht einmal mehr umdrehen, da hatte Helen schon sein Handgelenk gepackt und hinter seinen Rücken gebogen. Die einzigen Geräusche waren das Knacken der Knochen des Mannes. Helen hatte ihm die Hand auf den Mund gepresst, um seinen Schrei zu ersticken, und als er von dem Schmerz ohnmächtig wurde, ließ sie ihn sanft zu Boden gleiten.

In weniger als einer Minute brachte sie die Drahtschere an einem der riesigen Transformatorenkästen zum Einsatz und nahm winzige Anpassungen an den rostigen Steuereinheiten der Anlage vor. Diese veranlassten die Selbststeuerung des Gesamtstromnetzes, andere Werke zu aktivieren.

Jetzt brauchte Helen Coates nur noch zum Treffpunkt zurückzufahren, den Fernseher einzuschalten und auf die anderen zu warten. Phase eins des Plans war abgeschlossen.

KAPITEL 13

Jimmy, Viggo und Saffron standen zusammengedrängt am Ende der Regent Street gegenüber der *Corporation*. Es war nach 21 Uhr, und die wenigen Fußgänger eilten nach Hause, als ob die Londoner Luft nachts eine Art Krankheit übertragen könnte. *Geht schnell nach Hause*, dachte Jimmy. *Heute Abend gibt es was Tolles im Fernsehen*.

»Da ist es«, flüsterte Viggo und nickte hinauf zu einer der Straßenlaternen.

Jimmy bemerkte es ebenfalls: ein leichtes Flackern, als dieser Teil des Netzes automatisch die Stromversorgung auf ein anderes E-Werk umstellte – ein standardmäßiger, ausfallsicherer Mechanismus, der einen scheinbar ununterbrochenen Betrieb bei einem lokalen Ausfall aufrechterhielt.

»Wie lange haben wir jetzt?«, fragte Viggo.

Saffron zuckte nur leicht mit den Achseln. Sie hatte die Straße an der Seite des Firmengebäudes beobachtet.

Auch Jimmy starrte ungeduldig in diese Richtung, ihm war klar, wie ausgesetzt sie an diesem Ort waren.

»Ich dachte, das wäre ein Sofort-Einsatzteam«, murmelte Viggo.

»Das Signal erfolgt sofort«, antwortete Saffron. »Aber die Elektriker hatten wahrscheinlich ein paar Drinks.«

Endlich kam ein schmuddeliger blauer Lieferwagen in Sicht und rollte die Seitenstraße hinauf.

»Okay«, sagte Saffron. Die drei bewegten sich synchron über die T-Kreuzung. Jimmy ging mitten auf der Straße und winkte mit den Händen. Zwei Männer starrten verwirrt aus der Frontscheibe auf Jimmy. Der Lieferwagen war gezwungen, sein Tempo extrem zu verlangsamen. Noch bevor er zum Stehen kam, sprangen Saffron und Viggo aus den Schatten zu beiden Seiten des Wagens. Sie rissen die Türen auf und zerrten die beiden Männer von ihren Sitzen.

Sie benötigten kaum Kraft – der Überraschungseffekt war auf ihrer Seite. Einer der Elektriker versuchte um Hilfe zu rufen, aber Viggo schlug ihm ins Gesicht, was dem Widerstand ein Ende setzte.

Viggo übergab seinen Elektriker an Jimmy, während er in den Lieferwagen sprang und ihn an den Straßenrand fuhr. Als die Straße frei war, packten Jimmy und Saffron die Arbeiter am Kragen ihrer Overalls und verstauten sie im hinteren Teil des Lieferwagens.

Alles lief rasch und reibungslos ab. Zwar waren ein paar Leute auf der Hauptstraße unterwegs, aber die Aktion war so lautlos über die Bühne gegangen, dass keiner aufmerksam geworden war. Selbst als Autos die Seitenstraße hochkamen und an der T-Kreuzung warteten, bemerkten die Fahrer nicht das Geringste.

»Overall«, befahl Saffron. »Stiefel auch.« Ihre Stimme war sanft, aber gebieterisch. Die Männer schienen fast hypnotisiert und beeilten sich zu gehorchen.

Jimmy fühlte tief im Inneren eine Spur Mitleid mit diesen Handwerkern. Das Einzige, was sie falsch gemacht hatten, war, sich für die Abendschicht als Bereitschafts-Elektriker zu melden. *Sie müssen Angst haben*, dachte er. *Vielleicht fürchten sie, wir könnten sie töten.* Aber dieser Anflug von Mitgefühl war schnell verflogen und er betrachtete die beiden Männer nur noch als Mittel zum Zweck.

Jimmy warf Viggo einen Overall und ein Paar Stiefel zu. Saffron schlüpfte in das andere Set, und dann setzten sie ihre Rucksäcke auf.

Die beiden Elektriker hoben instinktiv ihre Hände und zitterten in T-Shirts und Unterhosen. Viggo fand in dem Transporter zwei Werkzeugtaschen und eine Kabeltrommel. Mit den Kabeln fesselten sie die Elektriker und klebten ihnen dann ein Stück Isolierklebeband über den Mund.

Das Zuschlagen der Lieferwagentüren ließ Jimmy zusammenzucken und in die Gegenwart zurückkehren. Er hatte gerade zwei Männer als Geiseln genommen. Er konnte das Bild ihrer verängstigten Gesichter nicht abschütteln.

»Denen wird nichts geschehen«, flüsterte Viggo, der Jimmys Sorge bemerkte. »Komm schon, wir müssen einen Job erledigen.« Er nahm seine Werkzeugtasche und warf die zweite Saffron zu, schlug dann die Tür zu und steckte die Schlüssel ein. Gemeinsam marschierten sie auf das Firmengebäude zu. Jimmy eilte immer noch leicht benommen hinter ihnen her.

Er versicherte sich, dass er keine Schuld an dieser Gewaltaktion trug. Hätte sein Vater nicht ein Hochhaus gesprengt, müsste Jimmy keine unschuldigen Menschen terrorisieren, um den Videoclip ins Fernsehen zu bringen. Trotzdem fiel es ihm schwer, diese Aktion vor sich selbst zu rechtfertigen. Dann durchzuckte ihn ein weiterer Energiestoß. Seine Konditionierung hatte alle seine Zweifel schlagartig ausgelöscht. Ihr waren solche Dinge egal.

Jimmy hielt sich im Hintergrund, während Saffron und Viggo durch die Drehtüren am Haupteingang des Firmengebäudes stürmten. Er kannte seine Aufgabe. Seine Muskeln waren darauf vorbereitet, sein Blut pumpte. Kurz bevor die Tür aufhörte sich zu drehen, schlüpfte Jimmy hinein und hielt sich so tief geduckt, dass er fast ausgerutscht wäre.

Viggo und Saffron waren am Sicherheitsschalter und zogen die Aufmerksamkeit der beiden Wachen auf sich.

»Wir sind gekommen, um das interne Leistungsrelais in Studio 60 zu überprüfen«, erklärte Viggo mit leiser Stimme und gesenktem Blick, um nach Möglichkeit nicht erkannt zu werden.

Er und Saffron zückten gleichzeitig die Magnetkarten, die an elastischen Schnüren von den Gürtelschlaufen ihrer Overalls baumelten. Sie schwenkten sie einmal durch die Luft und ließen sie dann sofort wieder zurückschnappen.

»Die funktionieren nicht nach Büroschluss«, verkündete Saffron. »Sie müssen die internen Türschlösser im fünften Stock freigeben.« Während sie sprach, klopfte sie an den Rand des Monitors einer Wache. Das alles sollte verhindern, dass die Sicherheitsleute die Magnetkarten mit den Fotos der Elektriker genauer unter die Lupe nahmen.

Die Ablenkung funktionierte perfekt. Die Wachen sahen sich mit gerunzelter Stirn an. »Ich glaube nicht, dass …«, begann eine von ihnen, aber Viggo unterbrach sie.

»Entschuldigen Sie die Verspätung. Wir sind aufgehalten worden.« Er trommelte geräuschvoll mit den Fingern auf den Tisch, ein weiteres Ablenkungsmanöver. »Laut unseren Beepern hatten Sie vor ein paar Minuten einen kurzen Stromausfall. Richtig?« Viggo nickte ihnen fest zu und die Wachen erwiderten sein Nicken. »Und von hier ging der Anruf an das Elektriker-Team raus. Richtig?« Wieder konnten die Wachen nur nicken. Die Entschlossenheit und Monotonie von Viggos Fragen und seine ruckartige Kopfbewegung konditionierten sie dazu. »Also brauchen wir dringend Zugang zum fünften Stock. Richtig.« Diesmal war es keine Frage und er hatte auch keine Antwort erwartet. »Dann einen schönen Abend noch.«

Er und Saffron bewegten sich ruhig, aber zügig am Empfangsschalter vorbei zu den Aufzügen. Ein Lift wartete bereits auf sie und in der Kabine verbarg sich ein weiterer Fahrgast.

»Das hat echt lange gedauert«, sagte Jimmy. Die Türen schlossen sich und er drückte den Knopf für den fünften Stock.

»Ich hasse das«, murmelte Viggo. »Ich würde lieber einfach …« Er ballte seine Fäuste.

»Entspann dich«, befahl Saffron. »Es hat funktioniert.«

»Wir *glauben*, es hat funktioniert«, antwortete Viggo. »Bis ihnen auffällt, dass sie unsere Ausweise nicht kontrolliert haben und die Elektriker von der Nachtschicht zwei Männer sein müssten.«

»Bis dahin sind wir hier wieder raus«, schaltete sich Jimmy ein. Seine Muskeln vibrierten aktionsbereit, während er innerlich mit den gleichen Zweifeln wie Viggo kämpfte. Schon viele Male zuvor hatte sich Jimmy auf seine Stärke und seine Kampffähigkeiten verlassen. Aber das würde sie heute Abend nicht ans Ziel bringen. Es konnte ihnen zwar bei der Flucht helfen, aber den Videoclip zu senden, würde viel Geschick und gutes Timing erfordern.

Der Aufzug verlangsamte sich, als sie den fünften Stock erreichten.

»Denk dran«, sagte Viggo und holte tief Luft, »warte nicht auf uns. Mach deinen Job, dann verschwinde. Wir treffen uns an der London Bridge Station.«

»Ich koch uns dann einen schönen Tee«, flüsterte Saffron, als sich die Fahrstuhltüren öffneten.

Morrey Levy arbeitete seit fast fünfzehn Jahren als Produzent und Regisseur von TV-Nachrichtensendungen. Heute Abend saß er an der gleichen Stelle wie fast jede Nacht: ganz vorne auf seinem Stuhl in einem bunkerähnlichen Kontrollraum, vor sich eine Wand von fast fünfzig kleinen Monitoren. Um ihn herum herrschte das effektive Treiben seines Produktionsteams, ein Dutzend Leute befolgten jeden seiner Befehle. Unter seinen Fingerspitzen befand sich das Hauptkontrollpult mit unzähligen Reglern und Tasten.

Der Bildschirm in der Mitte der Wand war mit AUSGABE markiert und zeigte an, was tatsächlich gesendet wurde. In diesem Moment war es der vertraute Anblick zweier Nachrichtensprecher in einem grell ausgeleuchteten Studio.

»Geh auf die Drei«, sagte Levy in sein Mikrofon und drückte eine Taste. Der Ausgabebildschirm blendete über zu einer anderen Kameraansicht, der Nahaufnahme eines Nachrichtensprechers. »Bereit Einspieler … Abfahren Einspieler …« Er klickte erneut und die Ausgabe wechselte zu einem zuvor aufgezeichneten Bericht aus der Ruine im Walnut Tree Walk. In dem Moment flog die Tür zum Kontrollraum auf.

»Wer sind sie?«, fauchte Levy über seine Schulter und blickte Viggo und Saffron wütend an. »Schafft die hier raus! Das ist kein Tag der offenen Tür.«

»Sir«, sagte einer der Techniker nervös, »das sind die Bereitschaftselektriker. Der Sicherheitsdienst hat uns über sie informiert.«

»Elektriker?« Levy spuckte das Wort aus, als würde er versuchen, seine eigene Wange zu kauen. »Raus hier!« Er schnippte mit der Hand in Richtung Viggo und Saffron. »Ich habe keine Zeit dafür. Ich leite eine Sendung.« Er wandte sich wieder den Monitoren zu, ohne abzuwarten, wie diese beiden Eindringlinge auf seine Begrüßung reagierten. »Das geht an Millionen von Haushalten. Ich will hier keinen Wirbel wegen einer winzigen Panne, die ich am Pult nicht mal bemerkt habe. Wir brauchen euch nicht. Wir haben keine Probleme mit der …«

Er brachte den Satz nicht zu Ende. Die kalte Klinge an seiner Kehle war eine zu große Ablenkung.

»Jetzt schon«, flüsterte Viggo und hielt das Messer mit einer Hand fest, während die andere Levys Hinterkopf umklammerte. Dann ließ er los und trat gegen Levys Stuhl, der sich drehte, bis die beiden Männer sich in die Augen sahen.

Nun bemerkte Levy, dass sein gesamtes Kontrollraumpersonal mit den Händen am Hinterkopf vor der gegenüberliegenden Wand stand.

»Wie haben Sie …?«, keuchte er. Dann verengten sich seine Augen und er studierte Viggos Gesicht. »Sie sind Christopher Viggo.«

»Senden Sie diesen Videoclip«, forderte Viggo und nickte Saffron zu, die einen USB-Stick hochhielt.

Levys Gesicht leuchtete vor Aufregung.

»Das ist fantastisch«, strahlte er. »Was für eine Geschichte! Christopher Viggo selbst hat endlich versucht, eine *meiner* Sendungen zu kapern.«

»Halten Sie die Klappe und bringen Sie es auf die Bildschirme der Leute«, drängte Viggo, drehte das Messer um und schlug mit dem Griff gegen Levys Kinn. Doch der grinste weiter, während seine Fantasie mit ihm durchging.

»Genau«, überlegte er. »Ein exklusiver Beitrag … entführt und möglicherweise sogar bei der anschließenden Schießerei getötet.« Seine Augen glitzerten. »Ich hätte nichts gegen ein bisschen Blut auf meinem Kontrollpult. Das bringt Farbe in die Geschichte.«

»Nehmen Sie den Stick!«, rief Viggo. »Unterbrechen Sie die Nachrichtensendung und starten Sie den Clip!«

»Hören Sie zu, Kumpel«, antwortete Levy mit einem leichten Kichern. »Ich würde Ihnen ja helfen, wenn ich könnte. Das würde ich wirklich.« Er lehnte sich nach vorne und senkte seine Stimme. »Ich bin nicht so sehr Fan dieser Regierung, wie Sie vielleicht denken. Wenn es keine Zensur gäbe, würde ich Comedy-Sketch-Shows produzieren. Aber ehrlich«, er warf die Hände in gespielter Hilflosigkeit in die Höhe. »Ich kann Ihnen nicht helfen. Es würde niemals funktionieren. Sehen Sie, *Live-TV* ist heutzutage eigentlich nicht mehr live. Es gibt eine dreiminütige Verzögerung, damit nichts passiert, was gegen die Richtlinien der *Corporation* verstößt.«

»Sie meinen, was die Regierung nicht mag«, höhnte Viggo.

»Wie auch immer Sie es nennen, das spielt keine Rolle.« Levy zuckte zusammen und seine Stimme zitterte.

»Sie können mich zwingen, diesen Clip einzulegen, aber er wird erst in drei Minuten ausgestrahlt, was bedeutet, dass jeder in diesem Studio drei Minuten hat, um ihn wieder rauszuschneiden, bevor er auf Sendung geht. Dazu muss ich nur hier drücken.« Er deutete mit dem Daumen in die Ecke des Bedienpultes, wo sich ein durch einen Klappdeckel geschützter roter Knopf befand. »Und Sie können hier nicht drei Minuten warten, denn die Sicherheitskräfte sind bereits auf dem Weg, da der letzte Bericht fertig ist und die Nachrichten weitergehen, ohne dass jemand sie leitet. Sie müssen jede Sekunde hier sein. Noch drei Minuten und eine ganze Armee kommt den Korridor hoch.«

Viggo atmete tief durch. »Wir müssen Sie also zwingen, unsere Botschaft zu senden, und dann drei Minuten hier warten, nur damit Sie diese nicht vor dem eigentlichen Senden rausschmeißen?«

»Richtig«, grinste Levy. »Und niemand kann das System außer Kraft setzen. Sie haben verloren.«

»Nun, was glauben Sie, wie lange wir schon reden?«

»Zwei Minuten und achtundfünfzig Sekunden«, sagte Saffron. Ihre Stimme war völlig ruhig. Sie stand an der Tür, ihre Augen auf eine Stoppuhr in ihrer Handfläche gerichtet.

»Sieht so aus, als müssten wir das System nicht außer Kraft setzen«, sagte Viggo mit einem kleinen Lächeln und blickte über Levys Schulter.

Levy drehte sich entsetzt um. Der Bildschirm mit der Aufschrift AUSGANG zeigte keine Nachrichten oder gar Filmmaterial aus dem Studio mehr. Stattdessen lief ein leicht körniger Film, in dem der Premierminister seine Faust auf einen Tisch hämmerte. Als der Clip fertig war, wurde er zurückgespult und neu gestartet.

»Was?«, schrie Levy. Er tastete nach dem roten Knopf, aber Viggo kam ihm zuvor. Er riss den Stuhl weg und der Mann stürzte zu Boden.

»Sicherheit!«, schrie Levy. Aber es war zu spät. Der Clip wurde gesendet.

»Verschwinden wir von hier«, befahl Viggo.

Saffron zog die Tür auf. Das Schild an der Außenseite lautet *Kontrollraum: Studio 60.* Durch den Flur kam eine Phalanx von Sicherheitskräften auf sie zu. Aber Viggo spähte an ihnen vorbei, zum anderen Ende des Korridors. Dort hatte er gerade einen Schatten in Richtung Treppe huschen sehen. Die Tür, aus der dieser gekommen war, wurde zugeknallt. Auf dem Schild an dieser Tür stand: *Kontrollraum: Studio 59.*

Saffron ließ ihren USB-Stick fallen und wirbelte in Verteidigungshaltung zu den Wachen herum. Später, als Geheimdienst-Experten den Stick untersuchten, fanden sie heraus, dass das einzige Videomaterial darauf ein Simpsons-Cartoon war.

KAPITEL 14

Jimmy raste die Treppe des *Corporation*-Gebäudes hinauf und nahm dabei drei Stufen auf einmal. Er hatte den grünen Stick – den von Eva – in seine Tasche gesteckt. Das Donnern Hunderter schwerer Stiefel hallte hinter ihm und vermischte sich mit panischen Rufen. Das erfüllte Jimmy mit solcher Freude, als wäre es geniale Musik. Es verriet ihm, dass er Erfolg gehabt hatte. Der Clip von Ian Coates wurde im ganzen Land ausgestrahlt, und nun versuchten die Sicherheitskräfte der *Corporation*, die Kontrolle über ihre eigenen Studios zurückzugewinnen.

Jimmy stürmte auf das Dach und genoss für einen Augenblick die kühle Nachtluft. Er beugte sich über den Rand des Gebäudes. Es war umstellt. Polizeiwagen und lange schwarze Limousinen bildeten einen undurchlässigen Belagerungsring.

Jimmy sprintete um die Ecke des Gebäudes, zwischen den Lüftungsschächten hindurch. Das ganze Dach wurde von der riesigen Konstruktion in der Mitte dominiert – dem Sendemast. Er ragte hoch hinauf in den Himmel, das Ende war nur durch das Blinklicht ganz oben sichtbar. Er hatte fast dieselbe Form wie der Eiffelturm und war etwa halb so groß. Dies war der Sendemast, der das TV-Signal der *Corporation* in der südlichen Hälfte des Landes ausstrahlte, sowie an eine Handvoll ähnlicher Masten, die es dann in ganz Großbritannien verbreiteten. Und für ein paar lebenswichtige Sekunden dachte Jimmy mit Stolz, dass er die Kontrolle darüber übernommen hatte.

Der Kontrollraum des Studios 59 war leer gewesen, und die Ablenkung im Studio nebenan hatte es Jimmy ermöglicht, ruhig und unbemerkt zu arbeiten. Zuerst war er von der Größe des Kontrollpultes überwältigt gewesen, aber sehr schnell hatten sich die Regler und Monitore in seinem Kopf in eine Art Grundbausteine verwandelt und ihm die Schaltkreise offengelegt. Im Grunde war das Betriebssystem des Studios sehr einfach. Es war so konzipiert, dass kreative TV-Produzenten und Führungskräfte ihre Shows mit begrenztem technischen Know-how steuern konnten. Für jemanden mit Jimmys Fähigkeiten war es keine Herausforderung.

Als er die andere Seite des Gebäudes erreichte, blickte Jimmy in die Dunkelheit und winkte. Sofort erwiderte eine Silhouette auf dem Dach des nächsten Gebäudes seinen Gruß. Er konnte nicht anders und lächelte breit. Trotz allem, was ihm passiert war, hätte er nie erwartet, dass er mithilfe seiner Mutter vom Dach der *Corporation* fliehen würde.

Helen Coates schleuderte das Ende eines Multifaser-Kletterseils über die Kluft zwischen den Gebäuden. Es spulte sich ab und landete zu Jimmys Füßen. Am Ende hingen drei Schlaufen aus Nylon – je eine Handschlaufe für Jimmy, Saffron und Viggo. Jimmy wusste, dass er noch höher hinauf musste, damit er sicher an dem Seil hinüberrutschen konnte.

Sein Körper reagierte bereits. Er warf das Ende des Seils über seine Schulter und kletterte die Streben des Sendemasts hoch. Seine Muskeln pulsierten vor Energie. Es fühlte sich fast so an, als würde sein Bizeps anschwellen.

Trotz des Windes, der seine Hosenbeine flattern ließ, bewegten sich Jimmys Hände und Füße in perfekter Koordination. Manchmal berührte er den Mast nur an einem Kontaktpunkt. Sobald das Seil zwischen den beiden Gebäuden gespannt war, band Jimmy das Ende an einer der horizontalen Streben fest. Zuerst fühlten sich seine Finger ungeschickt an, kämpften mit der Kälte, und er spürte immer noch die schweren Verbrennungen. Aber sein Blut pumpte bald neue Energie in seine Hände. Sie hörten auf zu zittern. Die Fasern des Seils bewegten sich genau wie gewünscht und ließen sich zu einem einfachen, aber stabilen Knoten schlingen.

Er schob sein Handgelenk durch eine der Schlaufen, packte den oberen Teil mit beiden Händen und stieß sich dann mit einem mächtigen Tritt ab. Er schoss durch den Nachthimmel. Das Tempo seiner Rutschpartie raubte ihm den Atem, und kurz fühlte es sich so an, als wäre sein Magen hinter ihm am Sendemast zurückgeblieben. Jede kleine Unregelmäßigkeit im Seil rüttelte ihn durch, riss an seinen Schultergelenken, und der Nylon-Handriemen grub sich tiefer in seine Handgelenke.

Rascher als erwartet schleiften seine Beine über die Landezone. Obwohl er sofort die Knie anzog, schabte er sich fast die ganze Haut von den Schienbeinen, dann landete er flach auf dem Rücken und starrte in die Sterne.

»Jimmy, du hast es geschafft!« Helens Worte brauchten eine Sekunde, um sein Bewusstsein zu erreichen. Sie zog ihn hoch in eine Umarmung und fuhr ihm durchs Haar.

»Es hat funktioniert?«, fragte Jimmy und löste sein Gesicht von der Schulter seiner Mutter.

»Schau«, sagte seine Mutter. Sie ließ ihn los und nahm ein Handy aus ihrer Ausrüstungstasche. »Es wird immer noch ausgestrahlt.«

Das Smartphone streamte *Live-TV* und das Bild des auf den Tisch hämmernden Ian Coates flackerte über das Display. Das Material war Jimmy inzwischen nur allzu vertraut. Es löste kaum noch etwas in ihm aus. Aber als er zu seiner Mutter zurückblickte, war ihr Lächeln verschwunden.

»Er ist verrückt«, flüsterte sie mit bebender Stimme. »Ich hätte nie gedacht, dass er dazu imstande …« Sie wandte sich ab und wischte sich die Augen.

»Mum, schon in Ordnung«, sagte Jimmy, aber er klang alles andere als sicher. Plötzlich riss er ihr wütend das Telefon aus den Händen. Seine Mutter war erschrocken, aber Jimmy wusste, er tat das Richtige. Sie musste sich jetzt darauf konzentrieren, Viggo und Saffron zu helfen.

Tatsächlich erblickte Jimmy genau in dem Moment zwei Gestalten, die über das Dach der *Corporation* huschten.

»Verschwinde von hier, Jimmy«, sagte Helen. »Ich muss wegen Chris und Saffron bleiben, aber du gehst schon mal zur London Bridge. Weißt du, wohin du musst?«

»Ich habe es auf der Karte gesehen.« Jimmy wollte protestieren und mit seiner Mutter auf die anderen warten. Ihre Flucht musste viel schwieriger gewesen sein als seine, und die Sicherheitskräfte hatten sie bis auf das Dach gejagt. Aber Viggo und Saffron blieb offenbar genug Zeit, um es zum Seil zu schaffen – sie kletterten bereits auf den Sendemast. Jimmy rannte die Feuerleiter hinunter und entschlüpfte im Rücken von Hunderten von Sicherheitskräften, Polizisten und *NJ7*-Agenten.

Mitchell hatte genug vom *SAS*-Kampfsimulator auf der *PS8-Konsole*. Seine Daumen schmerzten, und er fragte sich, wie er so lange hatte spielen können, ohne auf die Zeit zu achten. Er warf die Bedienelemente zu Boden und schaltet die Konsole mit einem Fußtritt aus. Sein Raum im unterirdischen *NJ7*-Hauptquartier mochte mit einem Luxus ausgestattet sein, um den ihn jeder andere britische Teenager beneidet hätte, aber er hing hier ohne Mission fest, und mittlerweile fühlte er sich wie in einen Käfig gesperrt.

Mitchell tigerte durch den Raum und fragte sich, ob er joggen gehen oder versuchten sollte, sein persönliches Maximum an ununterbrochenen Sit-ups zu toppen. Es dauerte fast eine Minute, bis er bemerkte, dass auf seinem Fernsehbildschirm der Kampfsimulator durch neue Bilder ersetzt worden war. Er erstarrte. Sofort fühlte er sich zu jenem Treffen in der Downing Street 10 zurückversetzt. Sein eigene Erinnerung schien irgendwie auf den Monitor projiziert zu werden.

Endlich löste er sich aus seiner Starre. Er eilte zur Fernbedienung. *Sicherlich läuft das nicht wirklich im Fernsehen*, dachte er. Er drückte hektisch die Tasten und versuchte verzweifelt herauszufinden, was mit seinem Unterhaltungssystem nicht stimmte. Aber technisch war alles in bester Ordnung.

Die Fernbedienung immer noch umklammernd stürzte er aus dem Raum und rannte durch die Gänge. Seine nackten Füße klatschten auf den harten kalten Beton.

»Miss Bennett!«, schrie er, und seine Stimme hallte durch die Korridore. Er drängte sich an *NJ7*-Leuten vorbei oder schubste sie aus dem Weg. Endlich bog er um die Ecke in ihr Büro. Wie üblich fühlte er in ihrer Gegenwart diesen Stich der Unsicherheit in seinem Magen.

»Im Fernsehen!«, verkündete er. »Er ist im … der Premierminister …«

Miss Bennetts Lächeln ließ Mitchell die Worte im Hals stecken bleiben. Sie lehnte sich hinter dem großen, mit Leder bezogenen Schreibtisch in ihrem Stuhl zurück.

»Komm zu uns«, sagte sie ruhig und deutete auf einen leeren Stuhl gegenüber. Erst da bemerkte Mitchell

Eva. Er setzte sich vorsichtig neben sie und versuchte, an ihrem Gesichtsausdruck abzulesen, was vor sich ging. Eva schien ihm entweder verwirrt oder verängstigt.

»Aber –« Mitchell versuchte erneut zu erklären, was er gesehen hatte.

Miss Bennett brachte ihn mit erhobenem Zeigefinger zum Schweigen.

»Keine Sorge«, flüsterte sie. »Das ist alles leicht erklärt.« Sie fuhr sich mit dem Daumen über ihre Unterlippe und dachte einen Moment nach. »Ich bin froh, dass du hier bist, Mitchell«, schnurrte sie. »Eva und ich hatten gerade eine kleine Unterhaltung über Loyalität.«

Mitchell war nie gut darin gewesen, Miss Bennetts Pläne zu durchschauen, aber jetzt war er verwirrter denn je. Interessiert es sie denn nicht, dass jemand die Kabinettssitzung gefilmt hat? Oder dass der Film im Fernsehen ausgestrahlt wurde? Vor allem, da der *NJ7* für das Programm der *Corporation* verantwortlich war. Bedeutete das etwa, Miss Bennett selbst …

Endlich dämmerte Mitchell die Wahrheit. Es überlief ihn ein eiskalter Schauder. Er starrte Miss Bennett wie gebannt in die Augen, die durchtrieben funkelten.

»Sie haben den Film ins Fernsehen gebracht?«, keuchte er.

»Nein, nein, nein«, antwortete Miss Bennett. Sie stand langsam auf, bewegte sich um ihren Schreibtisch, während sie leise erklärte: »Das kann man so nicht sagen. Oder, was noch wichtiger ist, man kann es nicht beweisen. Nein – Jimmy Coates hat es irgendwie geschafft, den Videoclip zu bekommen und die Sicherheitskräfte der *Corporation* auszuschalten.« Eine heimliche Freude spiegelte sich in ihrem Gesicht. »Dieses Land kann keinen schwachen Premierminister gebrauchen«, fuhr sie fort. »Und Ian Coates ist sehr, sehr krank. Die letzten Berichte aus dem Krankenhaus sind leider nicht ermutigend.« Sie zog einen Schmollmund und setzte einen übertrieben traurigen Blick auf. »Was bedeutet, dass die Macht an die neue Generation neodemokratischer Führer übergeht.« Sie stützte sich auf den Schreibtisch, beugte sich vor und brachte ihr Gesicht so nah an Mitchells, dass er die perfekte Linie ihres Augen-Make-ups bewundern konnte. »Jetzt sind wir am Zug. Wenn ihr wollt«, fügte sie lächelnd hinzu, »wird es eine sehr ruhige Revolution. Und ich möchte, dass ihr zwei ein Teil davon seid.« Sie wandte sich an Eva und lächelte strahlend. »Ihr wart sehr hilfreich – ihr beide.«

Miss Bennett streckte einen Finger aus und schob eine lose Haarsträhne aus Evas Gesicht. Mitchell erlebte einen unerwarteten Ansturm von Gefühlen. Aufregung? Eifersucht? Miss Bennett zog sich einen langen, dünnen grünen Clip aus dem Haar. Sie neigte den Kopf und mit einem fast verträumten Ausdruck arrangierte sie Evas Haar zu einer Frisur wie die ihre.

»Deine Treue wird belohnt werden«, sagte Miss Bennett. »Treue zum *NJ7.*« Ihre Stimme wurde ein wenig härter. »Treue zu mir.«

KAPITEL 15

Mitchell sah, wie Evas Lippen zitterten, und plötzlich hätte er am liebsten Miss Bennett von ihr weggezogen. Nur ein Keuchen am Eingang zum Büro hielt ihn davon ab. Mitchell wandte sich in seinem Stuhl um und erblickte die lange Gestalt William Lees, der gekrümmt in der Türöffnung stand und sich an der Wand abstützte.

»Wieso wurde bei dem Meeting gefilmt?«, polterte Lee.

Miss Bennett machte sich nicht die Mühe aufzublicken. Sie war immer noch mit Evas Haaren beschäftigt und antwortete gelassen: »Das werden wir wohl untersuchen müssen, oder?«

»Untersuchen?«, tobte Lee und kam langsam wieder zu Atem. »Jemand muss –«

»Ist die *Corporation* wieder unter Kontrolle?«, unterbrach ihn Miss Bennett.

»Ja, aber Viggo ist entkommen.«

»Sagten Sie *Viggo*?«, fragte Miss Bennett lächelnd.

»Christopher Viggo.« Lee spuckte den Namen förmlich aus. »Er und seine Freunde. Der Junge, Jimmy Coates, war auch dabei.«

»Oh, *die* waren das also«, staunte Miss Bennett. »Die

haben dieses schreckliche Video ins Fernsehen gebracht …«

Mitchell war erstaunt, wie gut Miss Bennett ihre Emotionen verbarg. Gleichzeitig warf sie Mitchell und Eva rasche, verschwörerische Blicke zu. Mitchell fühlte einen gewissen Stolz, hasste sich aber gleichzeitig dafür.

»Es ist mehr als schrecklich«, sagte Lee finster. »Es ist Verrat.« Der große Mann fuhr sich mit den Händen durchs Haar und für einen Moment schien er es ausreißen zu wollen. »Ich habe die *Corporation* angewiesen, alle TV-Übertragungen zu stoppen und das Internet abzuschalten. Ich habe auch die Mobilfunknetze lahmgelegt, aber jetzt gehen die Leute auf die Straße. Die Menschen sind unzufrieden, Miss Bennett. Es könnte Unruhen geben!«

»Ich nehme an, Polizei und Armee sind bereits in Alarmbereitschaft …?«, erwiderte Miss Bennett ruhig.

»Natürlich«, antwortete Lee. »Aber ich brauche …« Er hielt inne, holte tief Luft, dann ließ er seinen Blick auf Mitchell fallen.

»Ich?«, fragte Mitchell erstaunt. »Ich kann doch keinen Aufstand verhindern.«

»Vielleicht nicht«, schnappte Lee zu. »Aber wenn du nur hier herumhockst, bringt uns das auch nicht weiter, oder?«

Mitchell wandte sich unsicher an Miss Bennett. Mit einem Nicken gestattete sie ihm zu gehen. Er versuchte auf dem Weg nach draußen noch einmal Augenkontakt mit Eva aufzunehmen, aber sie starrte auf ihren Notizblock.

Sobald Mitchell und William Lee das Büro von Miss Bennett verlassen hatten, beschleunigte Lee das Tempo und eilte den Korridor entlang.

»Was hat Miss Bennett zu dir gesagt?«, flüsterte Lee.

Mitchell zuckte zusammen.

»Was meinen Sie damit?«

»Komm schon!«, knurrte Lee. »Ich weiß, dass sie mit dir und Eva über irgendetwas gesprochen hat. Das konnte ich hören. Stimmen hallen meilenweit durch diese Tunnel. Wenn ich ein paar Sekunden früher gekommen wäre, hätte ich alles selbst gehört.«

In Mitchells Kopf herrschte plötzlich ein wirbelndes Durcheinander. Sein Mund öffnete sich, aber es kamen keine Worte heraus.

»Egal«, brummte Lee. »Du bist schließlich nicht zum Reden geschaffen worden, nicht wahr?«

Wieder einmal wusste Mitchell nicht, wie er reagieren sollte. Die schwachen Lichter des Korridors schienen wie eine Betäubung in sein Gehirn zu sickern und hinderten ihn daran, genau zu begreifen, was vor sich ging. Ein Teil von ihm war damit beschäftigt, sich vorzustellen, was auf den Straßen über seinem Kopf geschah.

»Gibt es wirklich Unruhen?«, fragte Mitchell.

»Noch nicht«, murmelte Lee. »Aber vergiss das wieder, Mitchell. Es ist nicht dein Problem.«

»Aber ich dachte …« Mitchell war noch verwirrter.

»Ich schicke dich nicht raus auf die Straße«, erklärte Lee. »Dich zur Niederschlagung eines Aufruhrs einzusetzen, wäre eine tragische Verschwendung deiner einzigartigen Fähigkeiten. Damit wollte ich dich nur von Miss Bennett weglocken.« Ein Lächeln schlich sich auf sein Gesicht. »Sie hält dich an der kurzen Leine, nicht wahr?«

»Schätze schon.« Mitchell spürte, wie sein Bauch rumorte und seine Konditionierung einen Freudensprung machte bei der Aussicht, endlich in Aktion zu treten.

Sie bogen um eine letzte Ecke und befanden sich in einem Mitchell völlig unbekannten Teil des *NJ7*-Hauptquartiers – einem riesigen Labor. Dutzende von Technikern in weißen Mänteln hantierten mit Flaschen und Flüssigkeiten, von denen Mitchell annahm, dass es Chemikalien waren, und im ganzen Raum summten an den Wänden aufgereihte Computer.

»Ich werde dir geben, was du verdienst.« Lee legte seine Hand auf Mitchells Schulter und führte ihn zu einem der Computer. »Eine Mission.«

Jimmy eilte durch die Straßen. So hatte er London noch nie gesehen. Keine Autos verstopften die Kreuzung am Oxford Circus. Es gab sehr wenig Lärm. Langsam kamen die Menschen hinaus auf die Straßen und Bürgersteige, einzeln oder in Gruppen. Sie schienen kein Ziel zu haben und redeten nicht. Einige von ihnen wischten sich Tränen ab oder weinten offen.

Ein merkwürdiges Kribbeln kroch durch Jimmys Muskeln. So musste sich ein wildes Tier vor dem Ausbruch eines Gewitters fühlen. Er senkte den Kopf, um Augenkontakt zu vermeiden, und eilte nach Süden in

Richtung Piccadilly Circus. Als mehr und mehr Leute die Straßen bevölkerten, musste er sich an ihnen vorbeidrängen. Es war unheimlich ruhig.

Umgeben von so vielen feindselig blickenden Menschen hätte er normalerweise nie sein Handy herausgezogen, aber die Neugierde war einfach zu groß. Als er auf das Display schaute, bemerkte er, dass er kein Netz hatte. War das Zufall, oder versuchte der *NJ7* zu verhindern, dass alle, die das Video in Fernsehen gesehen hatten, die Nachrichten an andere weitergaben? Jimmy wollte überprüfen, was auf den Hauptkanälen lief, aber als er diese Funktion auf seinem Handy öffnete, blieb das Display schwarz, nur die Uhrzeit blinkte in einer Ecke. Dasselbe auf allen anderen Kanälen. Nach ein paar Sekunden wurde das Schwarz durch einen Union Jack ersetzt. Es gab keinen Ton dazu. Die *Corporation* hatte nichts zu senden.

Um Jimmy herum ertönte ein leises Stimmengewirr, das stetig anschwoll, dann ein paar vereinzelte Schreie. Die meisten Leute strömten jetzt in die gleiche Richtung und schwemmten Jimmy mit. Sie waren offenbar in Richtung Westminster und Parlamentsgebäude unterwegs. Plötzlich zerriss das Geräusch von splitterndem Glas die Stille. Und gleich darauf ertönte ein weiteres Klirren.

Jimmy erhöhte sein Tempo. Er roch förmlich die in der Luft liegende Empörung. Die Menge setzte sich aus Menschen jeden Alters zusammen, und selbst die Kinder hatten ebenso wütende Mienen wie die Erwachsenen. Jimmy sah einen Jungen in seinem Alter, der neben seinem Vater herging und dessen Schreie wiederholte.

»Weg mit ihm!«, grölte er, und andere übernahmen den Ruf.

Vermutlich ging es um den Premierminister, den sie aus dem Amt haben wollten, aber da war noch etwas anderes in ihren Stimmen – eine Drohung. So, als wollten sie Ian Coates am liebsten durch die Straßen schleifen. Ein Obdachloser verbrannte eine Zeitung mit dem Foto des Premierministers.

Jimmy ballte die Fäuste und schluckte den dicken Kloß in seiner Kehle hinunter. Er drängte weiter, rempelte mit den Schultern gegen die Menschen um ihn herum, als ob er damit seine eigenen Gefühle beiseiteschieben könnte.

Dann erreichte er den Piccadilly Circus. Die riesigen Neonreklamen erleuchteten die Gesichter der Menschenmenge, tauchten sie abwechselnd in leuchtendes Rot oder Grün.

Jimmy wollte sich aus dem Pulk lösen, aber plötzlich erlosch die Straßenbeleuchtung. Kurz darauf gingen die Lichter in den Schaufenstern aus. Und schließlich wurden sämtliche Neonreklamen an den Gebäuden rund um den Piccadilly Circus ausgeschaltet. London versank in tiefschwarzer Nacht.

William Lee führte Mitchell zu einer der Computerstationen im *NJ7*-Labor. Mitchell fühlte den Rausch der Vorfreude auf eine neue Mission. Endlich würde er wieder das tun dürfen, was er am besten konnte – wofür er gemacht war.

»Wir haben das Gift aufgespürt«, begann Lee, wobei sein Blick durch den Raum schweifte, um die Aktivitäten der Wissenschaftler zu überprüfen.

»Gift?«, platzte Mitchell heraus. »Ich weiß nicht …«

»Komm schon!«, zischte Lee. »Schalte dein Gehirn ein. Das Gift, das Ian Coates ins Krankenhaus gebracht hat.«

Mitchell nickte eilig, während Lee ein Paar Latexhandschuhe aus einer Schachtel zog und sie überstreifte.

»Wir haben alles getestet, womit Ian Coates möglicherweise in Kontakt gekommen sein könnte, bevor er zusammenbrach«, fuhr Lee fort. »Am Ende war es etwas ganz Einfaches, aber die besten Mordanschläge sind immer einfach, nicht wahr?« Er senkte den Kopf und trat näher an Mitchell heran, der sich im Schatten dieses Riesen noch kleiner fühlte.

»Sie meinen einen Attentatsversuch«, murmelte Mitchell, »nicht wahr?«

»Natürlich«, gab Lee mit einem verschlagenen Grinsen zu. »Wir alle hoffen, dass Ian sich vollständig erholt.«

Es entstand eine ungemütliche Pause, während Lee einem der Laboranten winkte, der einen kleinen Plastiktopf mitbrachte. »Wir haben das Gift bis zu diesem Ding zurückverfolgt«, erklärte Lee und zeigte es Mitchell.

Mitchells Vorfreude schien in seinen Adern zu purem

Entsetzen zu gefrieren. Lee zeigte ihm einen kleinen, durchsichtigen Plastikbehälter, der einen einzelnen, blassen gelblichen Würfel enthielt. Das Etikett verriet, was Ian Coates vermutlich gegessen hatte. Obwohl Mitchell kein Isländisch sprach, musste die Aufschrift nicht übersetzt werden. Er hatte es sofort wiedererkannt.

»Haifleisch«, verkündete Lee. »Aus Reykjavík in Island.«

Mitchell wusste nicht, wie er reagieren sollte. Er wusste, das rohe, unbehandelte Fleisch eines Grönlandhais war hochgiftig. Die Isländer vergruben es traditionell monatelang, bis es sich zum Essen eignete. Noch wichtiger war, dass Mitchell auch wusste, wie diese spezielle Dose mit Haifleisch – *rohem* Haifleisch nach London gelangt war.

»Du warst in Reykjavík, nicht wahr?«, fragte Lee.

»Ja.« Mitchells Antwort fiel lauter aus als beabsichtigt und mehrere Techniker drehten sich zu ihm um. »Ich habe Zafi verfolgt, die französische Agentin. Ich bin ihr nach Reykjavík gefolgt. Sie war auf dem Markt und ich hätte sie beinahe …« Mitchells Erinnerungen an diesen Kampf waren überdeutlich. Er konnte fast das Salz in der Luft schmecken und das Knirschen von Zafis Knochen unter seinen Fäusten spüren. »Sie ist entkommen«, murmelte er.

»Aber sie hat das Haifleisch nicht mitgenommen, oder?« Lee runzelte die Brauen und studierte Mitchells Reaktion. »Ich habe den Polizeibericht aus Reykjavík über diesen Zwischenfall gelesen. Hier steht, dass nach dem Kampf überall auf dem Markt Haifleisch lag.« Er wartete vergeblich auf Mitchells Antwort, daher fuhr er fort. »Rohes Haifleisch. Genug, um eine Dose dieser Größe zu füllen.«

Mitchell starrte Lee an. Ein Teil von ihm sehnte sich danach, in den Boden zu versinken, doch der Drang, Lees Kinn mit einem einzigen Aufwärtshaken zu zerschmettern, war noch stärker.

»Ja«, erwiderte Mitchell mit brüchiger Stimme. »Ich habe das Haifleisch nach London gebracht. Ich habe Befehle befolgt. Ich wusste nicht, wozu es gedacht war. Ich wusste nicht …«

»Ist schon in Ordnung«, beruhigte ihn Lee, als er die Wut in Mitchells Augen bemerkte. »Das hatte ich angenommen. Wie hättest du auch wissen sollen, wofür es bestimmt war? Und ich weiß natürlich, dass es sinnlos ist, zu fragen, wer dir befohlen hat, es mitzubringen«, fuhr Lee fort. »War es eine SMS?«

Mitchell nickte.

»Natürlich«, sagte Lee. »Jeder mit Zugang zu *NJ7*-Verschlüsselungs- und Kommunikationssystemen hätte es so aussehen lassen können, als käme der Befehl von jemand anderem.«

»Also …«, begann Mitchell, aber Lee unterbrach ihn mit erhobener Hand.

»Ich will nur, dass du dich entschuldigst«, erklärte er mit einem lässigen Achselzucken.

»Entschuldigung«, antwortete Mitchell automatisch. Lee nickte, also wiederholte Mitchell es noch einmal, diesmal lauter und fester: »Entschuldigung.« Es klang immer noch nicht aufrichtig, aber Lee schien es nicht zu stören.

»Ich vergebe dir«, sagte er mit einem Augenzwinkern. »Jetzt iss es.« Er hielt Mitchell die Dose hin, der zuerst auf den weißen Würfel starrte, dann auf Lee, dann zurück auf die Dose.

»Iss es«, wiederholte Lee, fester.

»Aber …« Mitchells Körper bereitete sich auf eine blitzartige Attacke vor. Durch seinen Kopf zuckten mehrere Fluchtoptionen. Er sah bereits Lees Blut aus Nase und Ohren spritzen. Er sah die Leichen der Techniker vor sich.

»Willst du nicht?«, spottete Lee.

Mitchell war angewidert. Lee hatte vielleicht nicht Mitchells Stärke, aber er schwelgte in seiner Autorität. Es war die Taktik eines Tyrannen.

Endlich seufzte Lee und zog die Dose wieder weg. Hatte er in Mitchells Augen gesehen, wie knapp er einem brutalen Angriff entgangen war? »Nun, in diesem Fall …« Lee drehte die Büchse in seinen Fingerspitzen, starrte Mitchell an, wandte sich dann dem Computer zu und drückte ein paar Tasten. Es erschien ein Fenster mit einer laufenden Suche. »Mein Team hat endlich einen Teilfingerabdruck auf dieser Büchse entdeckt, der nicht mit dem des Premierministers übereinstimmt.«

»Wer ist es?«, fragte Mitchell mit rauer Stimme, die aufsteigende Angst presste seine Lungen zusammen.

»Das werden wir gleich herausfinden«, antwortete

Lee. »Dies ist eine Suche in der internen *NJ7*-Datenbank. Alle Agenten, ehemaligen Agenten und Mitarbeiter sind darin, ebenso wie alle Mitglieder der Regierung und des öffentlichen Dienstes. Genau wie deine Fingerabdrücke.« Mitchell beobachtete den Anstieg der *Wahrscheinlichkeits-Prozentzahl* im Suchfenster, während Lee fortfuhr. »Es gibt natürlich noch eine andere Datenbank für die breite Öffentlichkeit«, erklärte er, »aber die Suche würde viel länger dauern, und ich bin zuversichtlich, dass uns diese hier ein positives Ergebnis bescheren wird.«

Während die Zahl auf dem Bildschirm sich der *100* näherte, wuchs Mitchells Furcht. Verzweifelt versuchte er herauszufinden, warum Lee ihn hierhergebracht hatte und was er mit ihm vorhatte.

Endlich rückte Lee mit der Sprache heraus: »Ganz einfach, Mitchell«, sagte er mit einem Seufzer, »die Person, die das Gift zum Premierminister gebracht hat, wird gleich auf diesem Computer gezeigt. Deine Mission ist einfach: Töte jeden, der auf diesem Bildschirm erscheint.«

Mitchells Inneres gerieten in mörderischen Aufruhr. Der Killer in ihm kroch in jeden Muskel und eine teuflische Freude machte sich in ihm breit. Gleichzeitig wurde Mitchells menschliche Angst immer stärker und quälender. Er wusste genau, wessen Gesicht auftauchen würde. Er erinnerte sich noch exakt an seine Reise nach Island. Und in der ganzen Zeit hatte nur *eine* Frau ihm Befehle erteilt. Andere hatten ihn trainiert und gefördert, aber nur eine Person hatte ihn angewiesen, das Haifleisch nach London zu bringen. Es gab keine Möglichkeit, dass diese Anweisung von jemand anderem gekommen war. Sein neues Ziel hieß: Miss Bennett.

Mitchell war sich plötzlich bewusst, dass Lee immer noch mit ihm sprach und ihm weitere Einzelheiten über die Durchführung seiner Mission mitteilte, die absolut geheim über die Bühne gehen musste. Er durfte niemandem beim *NJ7* trauen. Jeder war eine mögliche Bedrohung. Aber Mitchells Verstand eilte Lee weit voraus. Bereits jetzt kalkulierte er alle möglichen Risiken, die auftreten konnten. Von allen Zielobjekten der Welt gab es kein gefährlicheres als Miss Bennett.

Sie hatte sicher nicht einmal einen Bruchteil der Ausbildung und Kampferfahrung Mitchells, trotzdem konnte er nicht im selben Raum wie sie sein, ohne sich völlig unter ihrem Einfluss zu fühlen.

Ich kann das nicht, er hörte sich selbst denken, unmittelbar gefolgt von einem gewaltigen Gebrüll, das den ganzen Raum zu füllen schien, obwohl es nur in seinem Kopf stattfand. *ICH MUSS*, hörte er eine Stimme. *ICH WERDE ES TUN. Es ist meine Mission. Mein Leben.* Dann, endlich, zeigte der Computerbildschirm eine neue Meldung: *Suche abgeschlossen.*

Daneben ein Gesicht – das Gesicht von Mitchells neuem Zielobjekt.

Eva Doren.

KAPITEL 16

Jimmy erfasste sofort, dass die plötzliche Dunkelheit kein Zufall war. Aus den Straßen um ihn herum näherte sich Sirenengeheul. Das Blaulicht der Streifenwagen flackerte an den Gebäuden rund um den Piccadilly Circus. *London war abgeriegelt.*

Jimmys Sinne waren aufs Äußerste gespannt und verteidigungsbereit. Seine Nachtsichtfähigkeit schaltete sich ein, tauchte die Umgebung in einen blauen Schimmer und verlieh jedem auf der Straße das Aussehen eines Zombies mit leuchtend blauen Augen. Die Menschen strömten aus allen Richtungen auf den Platz, rempelten gegeneinander, einige von ihnen hielten an, doch rasch orientierten sie sich mit Handys oder Feuerzeugen, und die Menge zog weiter.

Jimmy beschloss, sich zu einer Nebenstraße durchzuschlagen, um so London Bridge schneller zu erreichen. Aber während er sich durch die Mitte des Piccadilly Circus kämpfte, an der Statue des Eros vorbei, realisierte er, warum das Vorankommen so schwer war. Er roch die Pferde, bevor er sie sah: die Absperrung der berittenen Polizei und der bewaffneten Einsatzkräfte.

Sie versuchten den Menschenstrom zu steuern und

sperrten die Seitenstraßen ab – entweder war der Trafalgar Square bereits gefährlich überfüllt, oder die Polizei blockierte einfach den Weg nach Westminster. Die Menge wogte wie ein einziges gewaltiges Wesen in verschiedene Richtungen, aber es gab keinen Ausweg. Jimmy duckte sich, um zwischen den Menschen durchzutauchen, aber er geriet nur noch tiefer in das Gedränge, umgeben von schlurfenden Füßen.

Dann begannen einige der Füße zu stampfen. Noch mehr Sirenen ertönten, mehr Blaulicht, mehr Schreie, die zu einem ohrenbetäubenden Gebrüll verschmolzen. Und Jimmy wusste, dass jede Sekunde ein gewaltsamer Aufstand ausbrechen würde.

Mitchells Magen zog sich zusammen und sein Mund wurde trocken. Die Geräusche des Raumes wirkten weit entfernt. Er hörte William Lee murmeln: »Also wirklich – Eva Doren. Ich muss zugeben, ich bin überrascht, aber das macht nichts. Wenn sie für die Vergiftung des Premiers verantwortlich ist, dann wirst du sie töten. Es sei denn, du willst selbst etwas von diesem rohen Haifleisch kosten?«

Die Worte hallten durch Mitchells Schädel »Aber …«, keuchte er endlich.

Lee war nicht interessiert.

»Lass sie nicht lange leiden«, sagte er. »Sie ist jung.« Mit diesen Worten entfernte er sich, um die Arbeit der *NJ7*-Techniker zu überwachen.

Mitchell stand vor dem Computer und starrte auf

Evas Porträt. Es war eine Standard-*NJ7*-Aufnahme, trotzdem wirkte sie darauf ziemlich anziehend, sah gleichzeitig aber irgendwie auch verletzlich aus.

Konnte sie wirklich für die Vergiftung von Ian Coates verantwortlich sein? Mitchell lockerte seine Muskeln und bewegte sich zurück durch die Gänge. Sein ganzer Körper summte vor dunkler Energie. Seine Konditionierung bereitete ihn auf das Töten vor. Er wollte seine Killerinstinkte unterdrücken, doch das steigerte nur ihre Intensität.

Etwas ist da faul, sagte er sich selbst. *Eva hat das nicht getan.* Mitchells Gehirn lief auf Hochtouren im Bemühen um Klarheit, während seine Konditionierung an Stärke gewann. Er dachte an Reykjavík, an den Kampf mit Zafi und den Befehl von Miss Bennett, das Haifleisch nach London zu bringen. Sie hatte gesagt, sie wolle es analysieren – um Zafis Methoden zu verstehen. Immer mehr Details fielen Mitchell ein. Unmöglich konnte Eva hinter dem Attentat auf den Premierminister stecken. *Sie wurde benutzt*, wurde Mitchell klar. *So wie ich. Dahinter muss Miss Bennett stecken.*

Die Tunnel des *NJ7* schienen sich immer enger um ihn zu schließen, während er weiterrannte. Jede Sekunde würde er Miss Bennetts Büro erreichen. Er musste sie zur Rede stellen. Gleichzeitig hatte Mitchell keine Ahnung, wie seine Konditionierung reagieren würde, wenn Eva auch da wäre. Hätte er die Kraft, sich der von William Lee erteilten Mission zu widersetzen?

Er bog um die letzte Kurve. Sofort wurden seine

schlimmsten Befürchtungen wahr. Gerade trat Eva aus Miss Bennetts Büro und kam ihm, eine Handvoll Notizen sortierend, auf dem Flur entgegen.

»Oh,« sagte sie und blickte auf. »Mitchell.«

Da war ein Strahlen in ihrem Gesicht, das in diesen dunklen Gängen völlig fehl am Platz war. Es drehte Mitchell den Magen um. Sein Killerinstinkt sprang so stark an, dass es ihm für eine Sekunde die Luft raubte.

»Alles in Ordnung bei dir?«, fragte Eva, immer noch sanft lächelnd.

Mitchell konnte sich nicht daran erinnern, wann jemand das letzte Mal froh über seinen Anblick gewesen war. Doch die Freude darüber wurde durch eine weitere Explosion gewalttätiger Energie in seinem Inneren zunichtegemacht. Er war bereit zu töten.

Als Eva Mitchell auf sich zukommen sah, hatte sie ein merkwürdig entspanntes Gefühl. Doch sie durfte das Leben beim *NJ7* nicht zu sehr zur Normalität werden lassen. Denn wenn sie sich zu sehr gehen ließ, würde sie sich vielleicht verraten. *Er ist ein Killer*, ermahnte sie sich selbst. *Er ist nicht vollständig menschlich*. Aber dasselbe galt für Jimmy, den Bruder ihrer besten Freundin. Manchmal konnte sie nicht fassen, wie verdreht die Welt um sie herum geworden war.

Sie riskierte jeden Tag ihr Leben, indem sie vorgab, für den *NJ7* zu arbeiten. Miss Bennett vertraute ihr. Eva hatte den innersten Zirkel des tödlichsten Geheimdienstes der Welt unterwandert, als Doppelagentin, arbeitete für die Feinde der Regierung – ihre Freunde. Und doch war sie diejenige, die Jimmy den Videoclip geliefert hatte. Es war natürlich auf Miss Bennetts Befehl geschehen, aber Eva wünschte, sie hätte Jimmy warnen können, dass es ein Trick war.

Sie ging auf Mitchell zu, verzog ihren Mund zu einem Lächeln, was ihr ziemlich leichtfiel. Von allen Menschen beim *NJ7* fühlte sich sich bei ihm am wohlsten. Aber dann bemerkte sie den Blick in seinen Augen. Ihr Lächeln verschwand. Mitchell stieß ein verzweifeltes Ächzen aus, sodass Eva erschrocken ihre Papiere fallen ließ.

Was macht er, fragte sie sich verzweifelt. Sie hatte den Gedanken kaum zu Ende gedacht, da kam Mitchell schon wie ein Panzer auf sie zu. *Sie haben mich enttarnt*, dachte Eva. *Ich bin erledigt.* Vor Furcht gelähmt, konnte sie nicht einmal schreien. Jede Zelle ihres Körpers bebte vor Angst

Mitchells Faust flog so schnell auf sie zu, dass Eva sie eher kommen spürte als sah. Sie traf die Mitte ihrer Brust und presste die ganze Luft aus ihrer Lunge. Mitchell hob Eva am Kragen hoch und donnerte sie gegen die Wand. Dort hielt er sie fest und starrte ihr in die Augen.

»Mi… Mi…«, keuchte Eva, aber sie bekam nicht genug Luft, um zu sprechen.

Mitchell hob den Arm über den Kopf und zielte auf ihren Hals, aber Eva konnte seine Pupillen von einer Seite zur anderen zucken sehen. Sie wusste, ein einziger Schlag würde ihr Leben beenden. Mitchell war zum Töten bestimmt, und jetzt spürte sie seine Kraft – in der Geschwindigkeit und außergewöhnlichen Energie seines Arms. Aber sie wusste, dass er noch nicht voll entwickelt war. Irgendwo in seinem Kopf gab es noch eine menschliche Stimme. Es musste so sein. Wenn sie nur wüsste, wie sie diese ansprechen konnte.

Mitchells Hand schwebte eine gefühlte Ewigkeit über seinem Kopf. Dann, endlich, stieß er ein weiteres wütendes Stöhnen aus und biss die Zähne zusammen. Tief unter Evas Angst regte sich die Hoffnung, dass Mitchells menschliches Mitleid sich für sie einsetzen würde.

»Haifleisch«, keuchte Mitchell und presste die Worte hervor, als würde sich sein Mund weigern zu sprechen.

»Was?«, krächzte Eva und fand endlich ihre Stimme wieder.

»Haifleisch.« Schweiß tropfte von Mitchells Stirn. Seine Augen waren blutunterlaufen. In ihm tobte eine mörderische Gewalt, die sich nirgendwohin entladen konnte. »Es war das Gift.«

»Haifleisch hat Ian Coates vergiftet?«, fragte Eva leise, aber deutlich.

Mitchells Stirn legte sich in Falten und er nickte. »Du hast es geschickt«, flüsterte er und hielt mit äußerster Mühe und Anspannung aller Muskeln den tödlichen Schlag zurück.

»Nein!«, beeilte sich Eva zu erklären. »Ich erinnere mich …« Sie konnte die Tränen nicht aufhalten. »Es war in einem kleinen Topf … Haifleisch aus Island.«

»Gift!«, rief Mitchell.

»Ich wusste es nicht!« Eva hätte am liebsten laut geschrien, aber dann hätte Mitchell möglicherweise endgültig die Beherrschung verloren und seine einprogrammierte Killerenergie entfesselt. Sie entspannte bewusst jeden Muskel, hing schlaff in Mitchells Griff. »Miss Bennett hat mir gesagt, ich soll es ihm bringen. Es war in einem Haufen anderer Geschenke von Regierungen aus der ganzen Welt …«

Endlich entspannten sich die Muskeln in Mitchells Schulter. Die mörderische Energie ließ nach und er senkte seinen Arm. Als er Eva wieder in die Augen blickte, sah sie dort mehr Verzweiflung als Wut – mehr Flehen als Kampfbereitschaft.

»Ich hatte keine Ahnung«, wiederholte Eva mit einem beruhigenden Flüstern. »Ich war das nicht.« Sie konnte kaum ein Schluchzen unterdrücken, wusste aber, dass sie stark sein musste. Mitchell respektierte sie – der Mensch in ihm jedenfalls. »Ich bin nicht dein Zielobjekt.« Ihr Körper zitterte, während Mitchell sie wieder herabließ. Den soliden Boden unter ihren Füßen zu spüren, war eine der schönsten Empfindungen, die sie je erlebt hatte.

»Hast du Probleme mit deiner Mission, Mitchell?« Das Flüstern hallte den Flur entlang. Eva und Mitchell fuhren herum wie Kaninchen, die das Klicken eines Jagdgewehrs gehört hatten. Vom Ende des Korridors schlenderte langsam die bohnenstangenartige Silhouette von William Lee heran.

»Es war nicht Eva«, keuchte Mitchell. »Sie hat nur die Büchse ins Arbeitszimmer des Premierministers gebracht. Sie hat –«

»Ich weiß«, schnitt Lee ihm das Wort ab. »Ich habe alles mit angehört. Dass du dieses spezielle Zielobjekt … emotional herausfordernd finden könntest, hatte ich schon vermutet. Also bin ich dir gefolgt, um zu schauen, wie es so läuft.«

»Ich habe nichts Falsches getan!« Eva zitterte. »Sie dürfen mich nicht töten!«

»Nein, du hast recht«, seufzte Lee. »Ich glaube nicht, dass ich das tun sollte. Stattdessen beschaffst du mir alle Geheimnisse Miss Bennetts.«

»Was?«

»Ihre Akten, ihre Codes, ihre Kontakte in der *Corporation* und alle Unterlagen über ihre Pläne.«

Eva überlegte verzweifelt, was sie tun sollte, aber ihr Gehirn war nach Mitchells Angriff immer noch von Adrenalin überschwemmt.

»Sie benutzt offensichtlich diese Krise, um die Macht zu übernehmen. Das war vorherzusehen, ich dachte nur nicht, dass sie den Premierminister vergiften würde.«

Dies war das erste Mal, dass Eva es in so simplen Worten hörte: Miss Bennett hatte versucht Ian Coates zu töten. Und es konnte immer noch gelingen, wenn es im Krankenhaus nicht gut lief.

»Was, wenn …«, keuchte Eva.

»Keine Sorge«, erwiderte Lee lächelnd. »Sie wird

niemals Premierministerin. Weil *ich* die Macht übernehme.«

In Evas Kopf drehte sich alles. Interessierte es denn niemanden beim Geheimdienst, dass der Premierminister mit dem Tode rang? Waren sie denn alle so furchtbar machthungrig?

»Ich werde dieses Land so führen, wie es angemessen ist!«, fuhr Lee fort. »Sobald ich die Macht übernehme, kann niemand mich mehr aufhalten! Die Briten brauchen mich, Eva. Jetzt bring mir Miss Bennetts Geheimnisse, damit ich sie auslöschen kann!«

Eva und Mitchell waren fassungslos. Als Eva ihre Erstarrung abgeschüttelt hatte und Mitchell erneut ansah, war William Lee bereits tief im *NJ7*-Tunnelsystem verschwunden. »Er will die Macht übernehmen«, flüsterte sie.

»Genau wie Miss Bennett«, antwortete Mitchell.

»Sei nicht beunruhigt deswegen, Mitchell.« Hinter ihnen an der Wand des Tunnels lehnte lässig Miss Bennett. »Wenn Ian Coates zu krank ist, um das Land zu führen, sollte dann nicht lieber ich es tun?«

Eva und Mitchell fuhren herum.

»Aber Sie haben ihn vergiftet!«, rief Mitchell. Eva war fasziniert von der Kraft seiner Stimme. Er war entweder sehr tapfer oder sehr dumm. »Und Eva wurde fast dafür getötet! Jetzt will Lee, dass sie Ihre Geheimnisse stiehlt!«

Miss Bennett neigte in einer dramatischen Geste den Kopf. »Ich weiß«, sagte sie. »Du glaubst doch nicht, dass vor meinem Büro ein Kampf stattfindet, ohne dass ich es mitbekomme, oder?« Sie zog eine Augenbraue hoch. »Dieser Mann hat sich als Idiot entlarvt.« Dem Lächeln auf ihrem Gesicht nach zu urteilen, gefiel ihr dieser Gedanke. »Und Mitchell«, sagte sie, »du gehorchst *meinen* Befehlen, nicht William Lees. Die einzige Person über mir ist der Premierminister, zumindest solange er noch lebt. Also versuch nicht noch einmal, Eva zu töten. Es ist einfach nicht nett.«

Eva wusste kaum, wie sie reagieren sollte. Wenn Miss Bennett ihr Gespräch mit Lee gehört hatte, musste sie auch Mitchells Angriff mitgekriegt haben. *Hätte sie rechtzeitig eingegriffen?*, überlegte Eva.

»Was ist mit Lee?«, fragte Mitchell mit Nachdruck. »Sollte ich …«

»Mach dir keine Sorgen um ihn.« Miss Bennett winkte ab. »Wenn er verkünden will, dass er das Amt des Premierministers übernimmt, braucht er Journalisten, die Presse, das Internet und die Fernsehanstalten. Unglücklicherweise sind das aber meine Spielsachen. Und ich teile sie nicht mit ihm.«

»Aber er wird einen anderen Weg finden, nicht wahr?«

»Und da ist das Glück auf unserer Seite.« Miss Bennett trat vor und griff nach Eva.

Eva konnte nicht anders, als zurückzuzucken. Sie zitterte immer noch von Mitchells Angriff und dem Schock ihrer Begegnung mit William Lee.

Aber Miss Bennett lächelte sanft, als ob sie es verstanden hätte, und Eva konnte nicht anders, als sich ihr zuzuwenden. Miss Bennett legte einen Arm sanft um Evas Schultern. Mit der anderen Hand ordnete sie Evas Haare. Sie entfernte die grüne Haarspange, die sie früher am Abend dort angebracht hatte. Dabei schaute sie Eva die ganze Zeit an, lächelnd wie eine freundliche Lehrerin. Nach ein paar Sekunden richtete sie sich wieder auf und spielte mit der Haarspange.

»Bevor William Lee irgendjemandem etwas mitteilen kann«, erklärte sie, »gibt es wahrscheinlich etwas, das die britische Öffentlichkeit sehen sollte.«

Rasch zog Miss Bennett ihr Handy heraus und steckte ein Ende der Haarspange in einen Schlitz an der Basis. Sie hielt das Telefon hoch, damit alle das Display sehen konnten. Zuerst flackerte es, dann zeigte es zu Evas Erstaunen ein Bild des Korridors, in dem sie standen, und William Lee. Miss Bennett drückte eine Taste und das Bild begann sich zu bewegen. Ein leiser Ton drang aus dem Lautsprecher des Handys.

»Sobald ich die Macht übernehme, kann niemand mich mehr aufhalten«, verkündete William Lee.

Eva konnte es nicht glauben. *Die Haarspange enthielt eine versteckte Kamera und ein Aufnahmegerät.*

Miss Bennett stoppte die Wiedergabe. Ihr Gesicht war todernst.

»Mit ein paar kleinen Schnitten«, murmelte sie, »machen wir ihn zum meistgehassten Mann Großbritanniens.«

KAPITEL 17

Mitchell und Eva warteten, bis Miss Bennetts Schritte verhallt waren. Eva sah ihre Chefin förmlich durch das *NJ7*-Labyrinth stolzieren. Das war ihr Reich und selbst in ihrer Abwesenheit schien noch etwas von ihr im Raum präsent. Diese Frau manipulierte mit größtem Geschick ihre Umgebung und hatte in letzter Zeit einige erstaunliche Erfolge erzielt. Sie hatte den Premierminister vergiftet, der nun in kritischem Zustand im Krankenhaus lag. Dann hatte sie das Video des Premierministers verbreiten lassen, um seine Popularität zu beschädigen und das Land zu destabilisieren. Jetzt wollte sie ihrem größten Rivalen, William Lee, den Teppich unter den Füßen wegziehen.

Sie lässt alle an ihren Fäden zappeln, dachte Eva. *Wir sind ihre Marionetten. Und bald ist sie in der Lage, das Amt des Premierministers zu übernehmen.*

»Äh, hör zu, Eva …«, stotterte Mitchell.

Eva war so abgelenkt gewesen, dass sie ihn beinahe vergessen hatte – allerdings nicht, dass er sie beinahe getötet hätte.

»Es … tut mir leid wegen … du weißt schon.«

»Ist okay«, sagte Eva knapp. »Es liegt nicht an dir.«

Sie spürte eine Mischung aus Mitleid und Wut. Wenn Jimmy gegen seine Killerinstinkte ankämpfen konnte, warum tat Mitchell das nicht auch?

»Ja«, sagte Mitchell mit gerunzelter Stirn. »Also, das ist verrückt. Glaubst du, Miss Bennett übernimmt das Kommando? Was wird dann mit uns geschehen?«

Eva wollte gerade erwidern, dass sie keinen blassen Schimmer habe, als ihr plötzlich ein Gedanke kam. »Ian Coates lebt noch, nicht wahr?«, fragte sie.

»Ich denke schon«, erwiderte Mitchell. »Aber zuletzt hab ich gehört, dass er nicht gerade ...«

»Wer bewacht ihn?«

»Anscheinend protestieren die Leute auf der Straße gegen ihn, also halten sie seinen Aufenthaltsort geheim, und die Armee und der *NJ7* bewachen ihn.«

»Aber wer beschützt ihn vor dem *NJ7*?«

»Wie meinst du das?« Schlagartig verstand Mitchell und seine Miene änderte sich. Es war glasklar – Miss Bennett hatte die *NJ7*-Agenten zur Bewachung des Premierministers ausgewählt. Und wenn diese ihr persönlich und nicht der Regierung gehorchten, konnte sie ihnen jederzeit befehlen, Ian Coates zu beseitigen.

»Wir müssen zu Coates«, stöhnte Mitchell. »Miss Bennetts Agenten werden ihn töten.«

Eva war zum gleichen Schluss gekommen, aber etwas störte sie. Wie war sie plötzlich in diese Lage geraten? Warum sollte sie das Leben eines Mannes retten, den sie für einen Feind hielt.

»Was ist los?« Mitchell musterte sie fragend.

Eva setzte ein Lächeln auf.

»Wir müssen ihm helfen«, beharrte Mitchell. »Es ist unsere Pflicht.«

»Aber …« Eva zögerte, doch dann konnte sie es sich nicht verkneifen. »Dieser Mann ist böse.«

»Er ist der Premierminister«, entgegnete Mitchell. »Ich möchte Miss Bennett gegenüber loyal sein, aber sie hat es selbst gesagt – der Premierminister steht über ihr. Ich diene ihm. Vielleicht wird Miss Bennett eines Tages Premierministerin, wenn Ian Coates es entscheidet …«

»Wenn er es *entscheidet*?« Eva war entsetzt. »Was ist der Unterschied zwischen Miss Bennetts Art der Machtübernahme und der von Ian Coates? Er wurde schließlich auch nicht gewählt, oder?«

»Gewählt?!« Mitchell dämpfte mühsam seine Stimme. »Wer will einen gewählten Premierminister? Das hier ist eine Neodemokratie! Denkst du, gewöhnliche Menschen wissen mehr über die Führung eines Landes als Miss Bennett? Öffentliche Wahlen, das war finsteres Mittelalter.«

Eva wollte Mitchell am Kragen packen und ihn schütteln. Was redete er denn da? Sah er denn nicht die Auswirkungen dieser Politik? Der Premierminister hatte einen Bombenanschlag auf seine eigenen Leute befohlen! Sie hätte es Mitchell am liebsten ins Gesicht geschrien. Doch dann wurde ihr klar, dass nichts davon noch Bedeutung hatte. Sie stand vor einer einfachen Wahl: Ian Coates oder Miss Bennett. Wer sollte das

Land regieren? In gewisser Weise war das *ihre* Gelegenheit zu wählen.

»Du hast recht«, stimmte sie endlich zu. »Wir müssen ihn finden, bevor Miss Bennett das Video ins Fernsehen bringt. Sobald sie sicher sein kann, dass sie seine einzig mögliche Nachfolgerin ist, wird sie ihn töten.«

»Genau das habe ich doch gesagt!«, knurrte Mitchell. »Aber wie sollen wir herausfinden, wo er gerade steckt?«

»Was meinst du mit *wie sollen wir herausfinden*?«, spottete Eva. »Wir arbeiten beim Geheimdienst, du Dödel! Und ich bin diejenige, die Miss Bennetts Notizen abtippt. Los, komm mit.«

Durch den Lärm hörte Jimmy immer wieder laute Schreie. Menschen stießen gewaltsam aufeinander. Das Aufeinanderschlagen von Polizeischilden und Knüppeln ertönte, er sah Kricketschläger und zerbrochene Flaschen. Wo kamen sie her? Plötzlich schwappte die ganze Menschenmasse zu einer Seite, als würde sie die Polizisten attackieren oder aber von ihnen zurückgedrängt. Schwer zu sagen, was davon der Fall war. Dann ertönten weitere Schreie und Jimmy wurde fast zu Boden geworfen. Er konnte sich mit Mühe aufrecht halten, aber andere um ihn herum hatten nicht so viel Glück.

Eine alte Frau vor ihm stürzte und schlug hart auf den Bürgersteig. Jimmy streckte die Hand aus, um ihr zu helfen, aber sie stieß ihn weg, rappelte sich alleine hoch und schrie dann sofort mit lauter Stimme weiter.

Selbst im Dämmerlicht konnte Jimmy die vor Wut geschwollenen Adern in ihrem Hals sehen. Jemand hatte ihr ein gebrochenes Billardqueue in die Hand gedrückt. Sie reckte es wie einen Stammes-Speer.

Sind denn alle verrückt geworden?, dachte Jimmy. Er hatte noch nie die geballte Wut so vieler Menschen gespürt. Es war, als wäre das ganze Land auf engstem Raum zusammengepfercht. Der Wellengang der Menge drückte ihn in so viele verschiedene Richtungen, dass er sich schwer auf seinen Weg konzentrieren konnte. Dann erhob sich ein dumpfes Flüstern.

Unter dem Schreien und Lärmen der mit der Polizei zusammenstoßenden Demonstranten vernahm Jimmy ein atemloses Gemurmel.

»Er ist tot«, hörte Jimmy. »Coates ist tot.«

Jimmy hielt an, drehte sich um und hielt nach der Person Ausschau, die es gesagt hatte. Doch vergeblich. Dann ertönte eine andere Stimme von hinten. »Ian Coates ist bereits tot …«

Sofort stiegen Jimmy Tränen in die Augen. Seine körperliche Reaktion schockierte ihn. Was ginge es ihn an, dass Ian Coates tot war? Der Mann hatte ihn angelogen, verraten und zu töten versucht. Trotzdem liefen Tränen Jimmys Wangen herab und er fühlte ein Brennen in seiner Brust.

Es ist nur der Schock, sagte er sich. *Bleib ruhig*. Trotzdem musste er wissen, ob es zutraf. Er zerrte an dem Mantel des Mannes neben ihm.

»Was ist passiert?«, schrie Jimmy und konnte in dem

Getöse kaum seine eigene Stimme hören. »Ist Ian Coates …?«

Als der Mann den Namen hörte, starrte er auf Jimmy herab. In seinen Augen funkelte blanker Hass. Er stieß einen Schrei aus, der Jimmy härter traf als jede Waffe. Die Worte waren kaum verständlich, aber Jimmy war sicher, dass er »töten« gehört hatte.

Das ist nicht gut, dachte Jimmy und versuchte seine Panik zu unterdrücken und ruhig zu atmen. *Ich muss die Wahrheit wissen.* Ohne die richtigen Informationen fühlte er sich völlig machtlos. Tausend Gedanken zuckten durch seinen Kopf. Sollte Ian Coates wirklich tot sein, wäre dann die Gefahr eines Aufstandes gebannt, oder würden die Menschen weiter ihre Wut austoben? Vielleicht hatte auch die Polizei das Gerücht gestreut, Ian Coates wäre tot, um die Gewalt einzudämmen? Doch diese Strategie war definitiv nicht aufgegangen.

Jimmy tastete nach seinem Handy. Es musste herausfinden, was los war. Als er es einschaltete, hatte es wieder Netz. Schnell griff er auf die TV-Funktion zu. Vielleicht hatte die *Corporation* inzwischen auch den Sendebetrieb wieder aufgenommen.

Tatsächlich: Zuerst erschien auf dem Display der Union Jack, aber nach ein paar Sekunden verblasste er. An seine Stelle trat ein Nachrichtenstudio – vielleicht sogar dasselbe, in dem Viggo und Saffron Geiseln genommen hatten. Aber das war jetzt egal.

Jimmy hielt das Handy dicht vors Gesicht, um den Nachrichtensprecher zu verstehen. Doch da wechselte das Bild zu einem Raum, der wie eines der Büros in der Downing Street aussah. Die Kamera zoomte auf eine vor einem Schreibtisch stehende Gestalt. Und als Jimmy sie erkannte, schien eine eiskalte Hand sein Herz zusammenzupressen.

Er bemerkte nicht einmal, dass überall um ihn herum der Lärm nachließ. Innerhalb von Sekunden herrschte Ehrfurcht gebietende Stille.

Endlich löste sich Jimmy aus seinem Schockzustand und blickte auf. Er versuchte auszumachen, warum alle stehen geblieben waren. Er folgte den Blicken der Menschen neben ihm und schaute zum Dach des höchsten Gebäudes am Piccadilly Circus. Dort übertrug ein gewaltiges Werbedisplay das gleiche Bild wie auf Jimmys Handy.

»Guten Abend, allerseits«, donnerte eine Stimme. Jimmy stellte sich vor, dass sie durch ganz London – und ganz Großbritannien – hallte. »Ich bin die Direktorin des Geheimdienstes.«

Jimmy starrte auf das Gesicht der Frau, die einmal zur Tarnung seine Klassenlehrerin gewesen war.

Inzwischen repräsentierte sie für Jimmy alles, was in der Welt böse war.

»Mein Name ist Miss Bennett«, verkündete sie langsam.

Ein sanftes Lächeln erschien auf ihrem Gesicht und füllte die riesige Werbefläche. Es war das einzige Licht in London, und niemand konnte die Augen davon abwenden, am wenigsten Jimmy.

»Lange Zeit«, sagte sie, »war meine Identität geheim. Doch in den letzten Stunden sind neue, für die nationale Sicherheit äußerst wichtige Informationen aufgetaucht. Sie alle müssen davon wissen. Deshalb habe ich die *Corporation* gebeten, dies auf allen Kanälen zu übertragen, und Ihre lokale Polizei und Feuerwehr haben binnen kürzester Zeit überall im Land große Übertragungsmonitore errichtet.«

Die Sendung schnitt jetzt von Miss Bennett auf die Menschenmassen am Trafalgar Square, auf dem Charlotte Square Gardens in Edinburgh, am Grey's Monument in Newcastle und einer Handvoll anderer Orte in ganz Großbritannien. Jeder dieser Plätze wirkte dichter bevölkert als der vorige. Es gab sogar eine kurze Aufnahme vom Piccadilly Circus.

Jimmy reckte seinen Hals, um die Fernsehkameras zu entdecken, sah aber nur die Dächer der Polizeiwagen rundherum, auf denen riesige Lautsprecher montiert waren. Aus ihnen donnerte Miss Bennetts Stimme.

»Es hat sich erwiesen«, fuhr sie fort, »dass jenes schockierende Video, das heute Abend auf *Corporation One* gezeigt wurde, eine Fälschung war.« Einige Menschen in der Menge murmelten laut, wurden aber von anderen zum Schweigen gebracht, die kein einziges Wort von Miss Bennetts Ansprache verpassen wollten.

»Ja, Sie haben richtig gehört«, bestätigte sie. »Es war eine Fälschung. Ian Coates hat niemals die Zerstörung des Hochhauses im Walnut Tree Walk angeordnet. Das wäre …«, sie hielt inne und stieß ein kleines Lachen aus, »... psychotisch. Nein, der Mann in diesem Film war ein Imitator – ein Schauspieler, der jetzt in Gewahrsam ist und mit unserem Aufklärungsteam zusammenarbeitet. Es hat sich herausgestellt, dass er von diesem Mann beauftragt wurde ...«

Die Kamera entfernte sich von Miss Bennett, während sie hinzufügte: »Ich möchte Sie warnen: Diese neuen Beweise könnten einige Zuschauer sehr verstören.«

Der Bildschirm wurde schwarz. Dann sah man einen dunklen Tunnel, vor dem ein riesiger, dünner Mann aufragte. Jimmy kannte ihn aus den Nachrichten, die er im Krankenhaus gesehen hatte. Gleich darauf erinnerte sich Jimmy auch an seinen Namen: William Lee.

»Sobald ich die Macht übernehme, kann niemand mich mehr aufhalten!«, knurrte Lee auf dem Bildschirm. Das Material war körnig und etwas ruckartig, aber seine Stimme war vollkommen klar. »Bring mir Miss Bennetts Geheimnisse, damit ich die Briten auslöschen kann. Jetzt!«

Die Menge brach in wütendes Geschrei aus. Einige von ihnen schleuderten Dinge in Richtung der Werbefläche, doch sie landeten gefährlich dicht neben anderen Zuschauern. Dann herrschte schlagartig wieder Stille, als das Bild erneut Miss Bennett zeigte. Ihr Gesichtsausdruck war ruhig, aber souverän. Die enorme Größe des Bildes und die Tatsache, dass es so weit über Jimmys Kopf war, schien Miss Bennett eine zusätzliche Faszination zu verleihen.

»Sie haben diesen Mann wahrscheinlich erkannt«, sagte sie. »Das war William Lee, von dem wir bis heute Abend glaubten, er sei ein treues Mitglied der Regierung von Ian Coates. Sein gefälschtes Video war Teil einer Verschwörung, um die Macht zu ergreifen. William Lee ist untergetaucht, vermutlich auf der Flucht.«

Noch während die Worte in Jimmys Bewusstsein drangen, führte seine Konditionierung bereits eine Blitzanalyse durch.

»Es ist daher meine Pflicht«, fuhr Miss Bennett fort, »jeden Einzelnen von Ihnen aufzufordern, ruhig zu bleiben. Wir teilen Ihre Wut und Sorge über den grausamen Angriff auf Walnut Tree Walk. Aber Ian Coates trifft keine Schuld.« Ihre Augen strahlten noch heller, als könnten sie durch die Kamera direkt in die Herzen aller Menschen schauen.

»Ich habe die *Corporation* gebeten, für Sie ein spezielles Unterhaltungsprogramm zu senden und Ihnen den Zugang zum Internet wie gewohnt zu ermöglichen. Also fühlen Sie sich bitte sicher und kehren Sie nach Hause zurück. Ich werde in einer Stunde eine weitere Ansprache halten und Sie über den Gesundheitszustand unseres geschätzten Premierministers Ian Coates informieren. Ich bin mir sicher, wir alle sind in dieser schwierigen Zeit mit unseren Gedanken und Gebeten bei ihm.«

Jimmy konnte spüren, wie die Wut und Anspannung um ihn herum nachließ. Die Menschen entspannten ihre Schultern. Ihre Kampfeslust war verraucht.

»Abschließend möchte ich Ihnen versichern«, erklärte Miss Bennett, »sollte aus irgendwelchen tragischen Umständen Ian Coates nicht in der Lage sein, seine rechtmäßige Position an der Spitze der Regierung wieder einzunehmen, dann wird William Lee sicherlich nicht sein Nachfolger.« Ein paar Leute schrien ihre Zustimmung. »Und falls mir diese Ehre zuteilwerden sollte, so würde ich sie nur gezwungenermaßen und unter größtem Bedauern annehmen.« Wieder gab es Bravoschreie – diesmal ein paar mehr.

»Danke für Ihre Geduld, Menschen von England, und für den Augenblick wünsche ich Ihnen eine gute Nacht.«

KAPITEL 18

Die Riesenprojektionsfläche wurde schwarz, dann tauchte plötzlich Kinderschokolade-Werbung auf. Eine nach der anderen erwachten nun auch die Neonreklamen wieder zum Leben. Es war wie ein bunter Sonnenaufgang. Die Menschen waren jetzt ganz ruhig. Sie schienen wie aus einem Albtraum erwacht. Einige starrten auf die behelfsmäßigen Waffen in ihren Händen und kratzten sich den Kopf, rätselten, warum sie Kricketschläger und zerbrochene Flaschen umklammert hielten. Als die Straßenbeleuchtung wieder anging, begann die Polizei, den Menschenstrom langsam vom Piccadilly Circus wegzuleiten.

Jimmy war genauso fassungslos wie alle Übrigen – aber aus völlig anderen Gründen. Er konnte nicht glauben, dass Miss Bennetts Auftritt so viele Menschen überzeugt hatte. Er schnappte Teile von gemurmelten Gesprächen auf. Die Leute waren verwirrt, ja schockiert. Es gab zwar nicht viel Lob für Miss Bennett, aber die große Wut war verraucht. *Sie macht das besser als je zuvor*, dachte Jimmy entsetzt.

Langsam verarbeitete er ihre Worte. *Der Videoclip war eine Fälschung*, dachte Jimmy. Er stand wie angewurzelt, überwältigt von einer Mischung aus Schrecken und Erleichterung. Ian Coates hatte also doch nicht den Befehl für den Bombenanschlag auf das Hochhaus gegeben. *Vielleicht ist er doch kein Monster*. Jimmy fühlte eine Welle warmer Gefühle für seinen Vater. Verzweifelt wollte er sie zurückdrängen, aber sie durchströmten ihn weiter beharrlich.

Dann erfasste ihn ein furchtbarer Gedanke – er war derjenige, der den Videoclip ins Fernsehen gebracht hatte. Das ganze Chaos war seine Schuld. Er erinnerte sich an Evas seltsamen Gesichtsausdruck, als sie ihm das Video gegeben hatte. *Natürlich*, dachte Jimmy. *Sie hat gewusst, dass es eine Fälschung war*. William Lee hatte sie gezwungen, es Jimmy zuzuspielen, aber sie hatte ihm die Wahrheit nicht verraten können.

Allmählich zerstreute sich die Menge und Jimmy blieb alleine in der Mitte des Piccadilly Circus zurück. Er fühlte sich so ausgesetzt wie der nackte Cherub auf der Statue in der Mitte des Platzes. *Was bin ich für ein Idiot*, schimpfte er sich selbst und ballte seine Fäuste. Er hatte seine eigenen Zweifel über den Videoclip ignoriert und sich von Viggo mitreißen lassen.

Ich muss zur London Bridge, ermahnte sich Jimmy. *Ich muss ihnen von Miss Bennett erzählen*. Er fühlte sich, als würde er aus einer Art Trance erwachen. Immer noch herrschte Verwirrung in seinem Kopf. *Nein*, wurde ihm plötzlich klar. *Sie haben es wahrscheinlich selbst gesehen*.

Er rieb sich das Gesicht, um klar im Kopf zu werden.

Ich bin wieder einmal benutzt worden, sagte er sich. *Von einem Mann, dem ich noch nie begegnet bin!* Er stieß ein frustriertes Stöhnen aus. Wie hatte er das zulassen können? Großbritannien wäre wegen seiner Dummheit fast ins Chaos gestürzt worden. Und jetzt war Miss Bennett noch mächtiger. Höchstwahrscheinlich würde sie triumphieren, dass Jimmy selbst es ihr ermöglicht hatte, in die Position der Stellvertreterin von Ian Coates aufzurücken.

Wenn ihm etwas zustößt …, dachte Jimmy.

Er sah sich um. Auf dem Piccadilly Circus peitschte der Wind Abfall in kunstvollen Wirbeln über den Asphalt, während ein streunender Hund die Mülltonnen plünderte. Bruchstücke von Miss Bennetts Rede hallten durch seinen Kopf:

»Sollte aus irgendwelchen tragischen Umständen Ian Coates nicht in der Lage sein, seine rechtmäßige Position an der Spitze der Regierung wieder einzunehmen …« Jimmy schauderte. *»Und falls mir diese Ehre zuteilwerden sollte, so würde ich sie nur gezwungenermaßen und unter größtem Bedauern annehmen.«* Langsam setzten sich die Bruchstücke in Jimmys Kopf zusammen.

»Sie übernimmt die Führung!«, rief Jimmy laut.

»Ich werde in einer Stunde eine weitere Ansprache halten«, hatte Miss Bennett gesagt. Plötzlich war sich Jimmy einer Sache ganz sicher: In einer Stunde wäre Miss Bennett Premierministerin und Ian Coates tot.

Es sei denn, ich unternehme etwas.

Eine Flutwelle wilder Energie durchströmte ihn und explodierte in seinem Gehirn. Miss Bennett musste aufgehalten werden. Aber der einzige Weg bestand darin, seinem eigenen Vater zu helfen.

Die Verwirrung ließ ihn zittern. Jimmy fühlte, wie seine Konditionierung diese Energie umwandelte und in seine Muskeln leitete. Seine Beine machten sich bereit für einen Sprint. *Aber wohin?*, fragte er sich. Er hatte keine Ahnung, wo sich der Premierminister befand. Er konnte seine direkte Umgebung kaum richtig wahrnehmen, weil ihm Tränen in die Augen stiegen.

Du weißt genau wohin, hörte Jimmy eine Stimme in seinem Inneren. Es war, als würde ein Teil eines vergessenen Traums wieder auftauchen. Der Agent in ihm wusste es. *Das Krankenhaus*, dachte er. *Natürlich.*

Und schon hämmerten seine Füße über den Asphalt. Er erinnerte sich an die überraschten Gesichter der Agenten auf dem Krankenhausparkplatz, von denen er sich die Kleider »ausgeliehen« hatte. *Diese Agenten waren nicht meinetwegen da*, sagte Jimmy sich, und da er nun sein Ziel kannte, versuchte er das Tempo noch zu steigern. *Sie waren die Bewacher des Premierministers.* Und ihm dämmerte, dass Miss Bennett diese Agenten nicht als Beschützer, sondern als Killer einsetzen wollte.

Ian Coates schwebte zwischen Wachen und Bewusstlosigkeit. Im Wachzustand brannte sein ganzer Körper vor Schmerz. Das Gift wütete immer noch in seinem Körper. Aus einer Maschine neben seinem Bett wurden starke Entgiftungs-Chemikalien durch sein Blut gepumpt. Sie hatten unzählige Nebenwirkungen, sodass sie fast gleichermaßen viel Schaden anrichteten wie Nutzen brachten.

Im Delirium spielte sein Verstand verrückt. Die Gifte in seinem Gehirn erzeugten dort wilde Farbwirbel, jeder dunkler als der andere. Die Brauntöne waren voller Hass. Die Blaus brachten Angst. Das undurchdringliche Schwarz war reine Schuld.

Erinnerungsfetzen pulsierten durch die Dunkelheit und verdichteten sich zu lebendigen Bildern, bevor sie explodierten und wieder verschwanden. Da waren längst vergessene Eindrücke aus seiner Kindheit. Momente aus seinem Familienleben – jenes Lebens, das er zerstört hatte. Und einige Szenen, die er nie mit eigenen Augen gesehen hatte und die ihm Schrecken einflößten: ein Hochhaus, das in Flammen aufging. Seine Tochter rannte auf der Flucht vor Geheimdienstagenten um ihr Leben. Jimmy rang nach Luft, während *NJ7*-Kugeln seine Brust durchbohrten.

Das Entsetzen brachte Ian Coates in die Realität zurück. Automatisch drückte er auf den Knopf, der mehr schmerzstillende Medikamente in seine Blutbahn pumpte. Sie schienen keine Wirkung mehr zu haben. Immer wieder drückte er mit aller ihm verbliebenen Kraft den Knopf, aber das Brennen in seinen Adern nahm nur zu. Er langte nach der Notruftaste am Bettrahmen.

Als Premierminister hatte er Anspruch auf eine Behandlung, die sonst nur den reichsten Patienten in

Großbritannien zuteilwurde. Das beinhaltete absolute Privatsphäre – ein großes Einzelzimmer im obersten Stockwerk des privaten Flügels, mit atemberaubendem Blick auf das Parlamentsgebäude und Big Ben jenseits der Themse.

Die erfahrensten Spezialisten des Landes waren rund um die Uhr für ihn auf Abruf da, wobei immer jemand im Wartebereich direkt vor dem Zimmer postiert war. Aber egal wie oft Ian Coates die Taste drückte, niemand kam.

»Doktor …«, versuchte er zu rufen, aber seine Stimme war so schwach, dass er sie selbst kaum hörte. Die Anstrengung ließ ihn husten und stottern. »Doktor …«, versuchte er erneut Aufmerksamkeit zu erregen. Diesmal war seine Stimme kräftiger, aber sie erzeugte ein qualvolles Stechen in seiner Brust und hätte niemals die Wand durchdrungen.

Ich bin der Premierminister Großbritanniens, dachte er und bekämpfte mit hartnäckiger Konzentration den Schmerz. *Warum kommen die Leute nicht, wenn ich rufe*?

Die Schwärze nahm wieder zu. *Nein*, dachte er verzweifelt. *Nicht ohnmächtig werden*. Und während die Welt um ihn herum versank, bezweifelte er, dass er jemals wieder zu sich kommen würde. An den Rändern seines Bewusstseins hörte er ein Krachen. *Warte*, befahl er sich selbst. Er versuchte sich in seinem Bett zu drehen, aber selbst das Krümmen der Finger erforderte eine gewaltige Anstrengung.

Dann ertönte ein weiteres Krachen. *Was passiert da?* Endlich flog die Tür auf. Doch herein kam kein medizinischer Fachmann. Tatsächlich lief die Gestalt so schnell, dass Coates nicht einmal erkennen konnte, ob es ein Mensch war. Der Schreck raubte ihm seine letzten Kräfte. Und während sich seine Augenlider schlossen, zog etwas am dem Schlauch, der seinen Unterarm mit der Maschine neben dem Bett verband. Er versuchte, seine Kräfte zu sammeln, aber er konnte nicht verhindern, dass der Tropf herausgezogen wurde.

Meine Medizin, dachte er entsetzt. *Ohne sie werde ich sterben!* Gleichzeitig lichtete sich die Dunkelheit in seinem Kopf. Er öffnete die Augen. Immer noch schien ein dichter Nebel im Raum zu hängen, aber langsam verzog er sich. Die Tür stand offen und das Licht aus dem Wartebereich schien ihn weiter zu kräftigen.

Endlich konnte er sich konzentrieren. Was er durch die geöffnete Tür sah, ließ ihn nach Luft schnappen. Ein Arzt saß auf seinem Posten, doch sein Kopf war unnatürlich nach hinten über die Stuhllehne gekippt. Sein Genick war gebrochen.

Zuerst dachte Ian Coates, es sei eine weitere grausame Vision seines Deliriums. Aber das Bild löste sich nicht auf. Er öffnete den Mund und diesmal ertönte sein Schrei mit der Autorität eines Staatsoberhauptes. »Doktor!«

»Der Doktor ist tot«, kam die Antwort. Erst jetzt wurde sich Coates des Schattens über seinem Bett bewusst. Mühsam drehte er sich und erblickte einen Jungen von etwa vierzehn Jahren neben sich, in seiner Faust den Schlauch, den er dem Premierminister gerade aus dem Arm gerissen hatte.

»Mitchell!«, keuchte Coates.

Eva war noch nie in ihrem Leben so schnell gerannt. Trotz völliger Erschöpfung spornte sie ihre Beine zu weiteren Höchstleistungen an und sprintete die Treppe zwei Stufen auf einmal nehmend hinauf. Mitchell hatte den Aufzug absichtlich sabotiert, um die Fluchtmöglichkeiten für die *NJ7*-Agenten einzuschränken. Danach hatte Eva nicht mehr mit ihm Schritt halten können.

Als sie die oberste Etage erreichte, hörte sie gerade noch den Lärm von Mitchells Angriff. Ihr wurde übel, als sie den Arzt leblos über dem Stuhl hängen sah. Eva entfernte sich rasch, barg ihr Gesicht zitternd in den Händen. Dann musste sie über die Körper von sechs bewusstlosen *NJ7*-Agenten steigen.

Sie stürzte in das Zimmer des Premierministers und erlebte einen weiteren Schrecken. Der Mann sah aus, als wäre er hundert Jahre alt. Seine Haut war so durchscheinend, dass sie fast die Muskeln und Knochen darunter sehen konnte, und seine Wangen waren fleckig. Sein ehemals kräftiges braunes Haar hatte die Farbe von Staub und er war schweißüberströmt.

Für ein paar Sekunden war er für Eva nicht mehr Ian Coates, der Premierminister, der Großbritannien in einem Zustand der Angst gehalten hatte, sondern wieder der Vater ihrer besten Freundin – einer Freundin, die sie vermisste und um die sie sich mehr sorgte als um irgendjemand sonst auf der Welt.

»Er kommt wieder in Ordnung«, sagte Mitchell ruhig. Er war damit beschäftigt, etwas in die Maschine einzutippen, an die Coates angeschlossen war, und die Zahlen abzulesen, die auf dem Display auftauchten. »Der Mordbefehl von Miss Bennett kam erst vor wenigen Minuten. Der Arzt weigerte sich, die Medikamente zu vergiften, also …« Mitchell deutete in Richtung Flur. »Sie mussten jemand anderen für diese Aufgabe finden und vermutlich kostete das Zeit. Das Gift ist noch nicht in sein System gelangt.«

»Gift?«, keuchte Ian Coates. »Miss Bennett?«

»Premierminister!«, rief Mitchell. »Können Sie mich hören!«

»Kommen wir zu spät?«, fragte Eva und rannte zum Display. »Was bedeutet das alles?«

»Ich weiß nicht«, antwortete Mitchell. »Ich meine …« Er zögerte und runzelte die Stirn. »Trotzdem weiß ich irgendwo in mir drinnen doch was. Es ist …«

»Ist schon in Ordnung«, flüsterte Eva. »Ich verstehe.«

Plötzlich schienen die Lebensgeister des Premierministers zu erwachen. Er packte Mitchells Arm und starrte ihn aus seinen blutunterlaufenen Augen an. »Was ist los?«, wollte er mit heiserer Stimme wissen. »Was machst du da?«

»Wir retten Ihr Leben«, antwortete Mitchell. Er befreite seinen Arm. »Dieses Blutbild besagt, dass Sie auf dem Weg der Genesung waren, bevor sich irgendjemand heute Abend an Ihren Medikamenten zu schaffen machte. Also halten Sie einfach still, lassen Ihre Hände von mir und überleben bitte.«

»Stillhalten könnte ein kleines Problem sein«, sagte Eva. Sie spähte aus dem Fenster auf das Wasser. Selbst in einer kabbeligen Nacht wie dieser waren die Linien, welche die Wellen durchschnitten, gut zu sehen. Es waren die Heckwellen von sieben Schnellbooten, alle überquerten vom anderen Ufer her die Themse. Sie waren wie schwarze Haie, die sich nur dadurch vom Wasser abhoben, dass ihre Heckwellen im Licht glitzerten.

»Weg vom Fenster«, befahl Mitchell. Mit einer raschen Bewegung ließ er die Jalousien herab. »Mach das Licht aus. Alle Lichter. Hier drin, da draußen und in jedem Raum entlang des ganzen Korridors. Schnell.«

»Wenn wir gleich verschwinden, können wir ihn noch aus dem Krankenhaus schaffen«, protestierte Eva.

»Zu spät«, erwiderte Mitchell leise, aber bestimmt. »Sie wissen, dass wir ihre Sicherheitsmannschaft ausgeschaltet haben. Sie kommen.«

KAPITEL 19

Jimmy raste durch London. Er kümmerte sich nicht darum, ob irgendwelche Überwachungskameras ihn dabei beobachteten. Er musste einfach rennen.

Die Straßen waren immer noch belebter als um die Zeit üblich. Leute wanderten ziellos umher, die meisten von ihnen wirkten verwirrt. Seit Miss Bennetts Rede konnten sie nirgendwo mehr ihre Wut ablassen. Also verwandelte sich hier Wut in Angst.

Einige brüllten immer noch wahllos alles und jeden an. Entweder hatten sie Miss Bennetts Botschaft nicht gehört oder sie glaubten ihr nicht. Jimmy schob sich an zwei Gruppen streitender und sich schubsender junger Männer vorbei. Die Angst und der Zorn bildeten eine gefährliche Mischung.

Als Jimmy den Parlamentsplatz erreichte, war die gewalttätige Stimmung mit Händen zu greifen. Direkt vor dem Parlament hatten sich die aufgebrachtesten und entschlossensten Demonstranten eingefunden. Leider waren auch jede Menge Befürworter der Regierung dort versammelt. Die Menschen riefen nach Miss Bennett und viele auch nach William Lee. Die Rufe verschmolzen zu einem einzigen gewaltigen Grölen.

Jimmy versuchte jedem Handgemenge auszuweichen. Dann setzte die Bereitschaftspolizei ihre Schlagstöcke ein. Jimmy lief stur weiter, ohne nach rechts und links zu blicken. Die Schmerzensschreie der von den Schlagstöcken getroffenen ließen ihn zusammenzucken.

Big Ben schien sein Gesicht abzuwenden, angewidert von der Rohheit der Menschen. Sogar die gotischen Türme des Regierungsgebäudes schienen vor Ekel zurückzuweichen.

In diesem Gebäude ist nichts wirklich Wichtiges, dachte sich Jimmy und stellte sich die unglücklichen Parlamentsabgeordneten und Beamten vor, die im Inneren gefangen waren. Machtlos, wie üblich. Jimmy hätte am liebsten jeden einzelnen Demonstranten geschüttelt und geschrien: *Die Leute, die ihr wirklich zur Verantwortung ziehen solltet, sind unter euren Füßen. Dort residiert der NJ7, der alles kontrolliert.*

Er beschleunigte sein Tempo und erreichte die Westminster Bridge. Hier war noch mehr los als auf dem Parlamentsplatz. Londoner strömten in beide Richtungen über die Brücke, um sich den Protesten anzuschließen oder ihnen zu entkommen. Jimmy fädelte sich zwischen ihnen hindurch, ab und zu einen Blick auf sein Ziel erhaschend: das St.-Thomas-Krankenhaus. Es lag am Fluss, direkt gegenüber vom Parlamentsgebäude. Nur eine schmale Allee und eine niedrige Mauer trennten das Krankenhaus vom Wasser.

Von hier aus wirkte das Gebäude verlassen – alle

Fenster waren dunkel. Was, wenn man seinen Vater weggeschafft hatte? Oder wenn Miss Bennetts Plan aufgegangen und er bereits tot war? Jimmy bahnte sich einen Weg zum Brückengeländer, blieb dort stehen und beugte sich darüber. Seine Augen scannten das Krankenhausgebäude. In der restlichen Stadt waren die Lichter wieder angegangen, warum lag das Krankenhaus noch in völliger Dunkelheit? Selbst wenn der Premierminister nicht da war, waren da noch die anderen Patienten. *Nein*, dachte Jimmy. *Irgendetwas ist da faul.*

Jimmys sämtliche Muskeln spannten sich. Seine hellwachen Sinne hatten etwas wahrgenommen: Sieben Schatten, die durch das Wasser schnitten und über die Themse in Richtung Krankenhaus schossen. Schnellboote, bemannt mit *NJ7*-Einsatzkräften – kleine, schwarze Boote mit stählernen Rümpfen und spitzem Bug.

Jetzt gab es keinen Zweifel mehr. Ian Coates wurde im St.-Thomas-Krankenhaus festgehalten, und diese Einheiten waren auf dem Weg, ihn zu töten. Jimmy blieb keine Zeit, sich zu fragen, warum Miss Bennett so viele Männer schickte oder warum die im Krankenhaus stationierten Agenten den Job nicht übernahmen. Das konnte warten. Zuerst musste er handeln.

Jimmy kletterte mühelos auf das Brückengeländer und hockte sich neben einen der kunstvoll verzierten grünen Laternenpfähle. Einige Passanten starrten ihn komisch an, und als er sprang, schrien sie auf.

Die Schreie hinter ihm verhallten und gingen im übrigen Chaos unter. Jimmy schien eine Ewigkeit zu fallen. Der Lärm Londons umtoste ihn. Er mochte den Wind auf seiner Haut und hatte eine wilde Fantasie: *Was, wenn er fliegen könnte?* Er könnte Brücke und Fluss hinter sich lassen und direkt zum Dach von St. Thomas gleiten. *Niemand könnte mich stoppen*, dachte er und schloss die Augen.

Für eine Sekunde fühlte es sich an, als ob alle seine Probleme verflogen wären. Er war schwerelos, innerlich völlig ruhig, während sich das Universum um ihn herum drehte. *Ich würde nie mehr anhalten*, dachte er, während sich seine Arme über dem Kopf streckten. *Wenn ich fliegen könnte, würde ich weiterfliegen, immer weiter, weg von London, weg von Europa, und ich würde nie wiederkommen …*

KLATSCH.

Der Aufprall auf der Themse löschte seine Fantasien schlagartig aus. Seine Hände durchbrachen die Wasseroberfläche, dann sein Kopf, schließlich tauchte sein restlicher Körper in den schwarzen, stinkenden Fluss. Die plötzliche Kälte raubte ihm die Sinne. Zuerst konnte er nichts sehen, der Atem strömte ihm in einer langen Kette von Blasen aus Mund und Nase. Einmal untergetaucht, kehrten schlechte Erinnerungen zurück. Er war schon einmal hier gewesen.

Als der *NJ7* zum ersten Mal Agenten geschickt hatte, um ihn von zu Hause abzuholen, war er geflohen, ohne zu wissen, für wen die Männer arbeiteten oder worin diese besonderen Fähigkeiten bestanden, mit denen er sie immer wieder hatte austricksen können. Damals konnte er nicht wissen, welche Prüfungen noch vor ihm lagen, aber er erinnerte sich an die nackte Angst und wie schnell sie in Aggression umgeschlagen war. Damals waren seine Kräfte erwacht. Jetzt waren sie stärker denn je und entwickelten sich ständig weiter.

Reflexhaft öffnete sich Jimmys Mund und saugte stinkendes Themsewasser ein. Es gurgelte wild in ihm und schien sein Inneres völlig auszufüllen. Sosehr er den bitteren Geschmack, das eiskalte Gefühl in seinen Organen und die Übelkeit hasste, so entzog sein Körper dieser Brühe doch den nötigen Sauerstoff. Er atmete Wasser, und komischerweise an fast genau derselben Stelle, an der er es zum ersten Mal getan hatte, als er aus einem Hubschrauber gesprungen war, ohne zu wissen, dass er überhaupt schwimmen, geschweige denn unter Wasser atmen konnte.

Er war jetzt tief unten, dicht über dem Flussbett. Es war mit Trümmern und halb verwesten Wasserpflanzen übersät. Jimmy tauchte zwischen ihnen hindurch wie ein Hai durch ein Schiffswrack. Das geringste Zucken seines Körpers trieb ihn vorwärts, offenbar hatte sich seine Schwimmfähigkeit in der Zwischenzeit noch weiterentwickelt. Er schoss voran, begeistert über seine Verwandlung in ein menschliches Torpedo.

Mit einer leichten Drehung seiner Hüften glitt Jimmy in Richtung eines der Boote direkt über ihm. Der schnelle Schlag seiner Beine beschleunigte sich wie ein fein abgestimmter Motor. Er streckte seine Arme über den Kopf, die Hände geballt.

BUMMS!

Jimmys Fäuste donnerten gegen den Rumpf des ersten Schnellbootes. Aber damit nicht genug. Sein Schwung trug ihn nach oben, als ob er aus dem Wasser schießen wollte – nur das Schnellboot war ihm im Weg. Die Gesetze der Physik erledigten den Rest. Das Boot bäumte sich auf wie ein buckelnder Rodeo-Bulle, der leer drehende Außenbordmotor kreischte. Die sechs *NJ7*-Agenten waren völlig überrascht. Zwei von ihnen wurden in die Luft geworfen. Die anderen klammerten sich zunächst panisch an die Seite des Bootes, doch als es kippte, wurden auch sie hinausgeschleudert.

Die Agenten klatschten aufs Wasser, dann landete das Boot kieloben neben ihnen. Gegen seinen Willen musste Jimmy lächeln. Dann war er schon wieder auf dem Weg in die Tiefe, ohne dass jemand ihn bemerkt hätte.

Die kleine Flotte fächerte sich auf, um ein größeres Gebiet abzudecken, und beschleunigte. Jimmy kreiste unter ihnen und wartete auf den richtigen Moment, um erneut zuzuschlagen.

Kurz darauf landeten die sechs übrigen voll bemannten Schnellboote am Ufer. Die Männer gingen von Bord.

Jimmy war beeindruckt, wie ruhig sie den Angriff aufgenommen hatten. Offensichtlich wollten sie keine Aufmerksamkeit auf sich ziehen. Selbst die ins Wasser geschleuderten Agenten hatten keinen Mucks von sich gegeben. Der Einsatz war kaum gestört worden.

Jimmy entspannte seine Arme und schwebte nach

oben bis knapp unter die Wasseroberfläche, kreiste dort und beobachtete. Die Schatten der Agenten brachen sich im Wasser und wirkten wie Säulen aus schwarzem Rauch. Jimmy wartete, bis alle Männer über die niedrige Mauer zwischen Straße und Fluss geklettert waren.

Selbst von seiner Position aus wirkte ihre Körpersprache unsicher. Die meisten spähten immer wieder über die Wellen und suchten nach der verborgenen Bedrohung. Andere starrten hinüber zur Brücke, besorgt über mögliche Zeugen. Doch fürs Erste verbargen die Bäume das *NJ7*-Kommando noch vor den Augen der Londoner Bevölkerung.

Mit explosionsartiger Energie schoss Jimmy vorwärts. Er glitt knapp unter der Oberfläche dahin und tauchte direkt hinter einem der Boote auf. Noch bevor er das Wasser in seinem Körper ausgehustet und Luft geholt hatte, startete er seinen Angriff.

Er packte das Heck des Bootes mit beiden Händen. Sofern die Agenten ihn überhaupt wahrnahmen, waren sie zu langsam, um zu reagieren. Mit einer mächtigen Muskelanspannung schnellten seine Beine aus dem Wasser, und er stemmte sich nach oben, nutzte den Schwung seines Körpers für einen Überschlag, bei dem er das Boot aus dem Wasser riss.

Die in seinen Armen pulsierende Kraft ließ das Boot federleicht erscheinen. Jimmy landete hustend und spuckend mit beiden Füßen auf der niedrigen Mauer. Er würgte schwarzes Themsewasser hervor, doch bereits mit dem ersten Atemzug durchströmte ihn neues Leben.

Dabei bewegte er sich unaufhörlich weiter. Er durfte nicht innehalten – er befand sich jetzt inmitten des *NJ7*-Killerkommandos.

Jimmy schwang die größte Waffe, die er je benutzt hatte – ein Schnellboot. Er ließ es durch die niedrig hängenden Äste der Bäume herabkrachen, schwang es zur Seite, schlug drei Agenten zu Boden und ließ drei weitere panisch zurückweichen.

Die verbliebenen Agenten zückten augenblicklich ihre Waffen. Aber Jimmy riss das Boot herum und schleuderte jeden Agenten im Umkreis von drei Metern über die Mauer in die Themse. Die übrigen feuerten, aber die Kugeln prallten vom Boden des Schnellbootes ab. Es war Jimmys Schild und Schwert in einem. Er schwang es über seinem Kopf, riss ein Loch in das Laub über ihm und zerstreute so die restliche *NJ7*-Einheit.

Aber sie waren noch nicht besiegt. Trotz des gewaltigen Überraschungsangriffs sah Jimmy die ruhige Entschlossenheit in ihren Gesichtern. Das waren keine gewöhnlichen Soldaten – das war der *NJ7*. Sie hatten dasselbe Training durchlaufen wie Jimmy. Sie wussten alles über ihn und waren auf die Konfrontation mit ihm vorbereitet.

Die Agenten, die im Wasser gelandet waren, kletterten inzwischen bereits über die Mauer und formierten sich zum Gegenangriff. Noch während Jimmy das Schnellboot herumwirbelte, verständigten sich die Männer mit Blicken. Die Hälfte von ihnen wandte sich ab und rannte zum Krankenhaus. Die übrigen wollten

Jimmy ganz offenbar nicht unschädlich machen. Es ging ihnen nur darum, ihn für ein paar Minuten aufzuhalten, während die anderen ihre Mission fortsetzten.

Ich darf das nicht zulassen, dachte Jimmy. Seine Konditionierung arbeitete bereits an einer Lösung. Er warf das Boot mit einer harten Drehung in die Luft und flitzte ein paar Meter die Mauer entlang zu einem zweiten Boot. Das erste Boot landete mit dem Bug auf der Mauer, das Heck platschte in die Themse.

Jimmy sprang in das zweite Boot, gab Vollgas und fuhr in die Mitte des Flusses hinaus. Hinter ihm zögerten die *NJ7*-Agenten, sie glaubten nicht, dass Jimmy so einfach aufgeben und fliehen würde.

Jimmy war vom Tauchen ganz leicht zumute, er spürte eine merkwürdige Erregung in seiner Brust und musste sich ein Lachen verkneifen. Er blickte über seine Schulter. Agenten mit tropfnasser Montur und verwirrter Miene fragten sich offenbar, ob der Kampf vorbei war. *Er fängt gerade erst an*, dachte Jimmy.

Er steuerte das Boot wieder in Richtung Krankenhaus und beschleunigte. Der Motor heulte auf. Jimmy holte das Letzte heraus. Innerhalb von Sekunden war er wieder am Ufer, bremste aber nicht ab. Das erste, schräg auf der Mauer liegende Boot diente ihm jetzt als perfekte Rampe. Jimmy hielt direkt darauf zu und sein Atem stockte. War das überhaupt möglich?

Jimmys Boot knallte knirschend auf das erste und wurde in die Luft katapultiert. Er überflog die niedrige Mauer und segelte über die Straße. Zu beiden Seiten warfen sich *NJ7*-Agenten in Deckung. Jimmy pflügte durch sie hindurch und lehnte sich nach rechts, um das Boot auf sein Ziel auszurichten: den Eingang des Krankenhauses.

Das Boot kippte zur Seite und landete mit einem harten Schlag. Doch Jimmy hatte sich gut festgehalten. Der Rand des Bootes schabte über den Bürgersteig und donnerte dann durch die Türen des Krankenhauses.

Instinktiv warf Jimmy seine Arme vors Gesicht, um sich vor dem splitternden Glas zu schützen. Das Boot rutschte kreischend in den Eingangsbereich, krachte mitten durch den Empfangsschalter und wirbelte Papiere in alle Himmelsrichtungen. Schließlich donnerte es neben den Aufzügen gegen einen Snackautomaten und ließ einen Regen von Kleingeld und Chips niedergehen.

Doch einige *NJ7*-Agenten trampelten bereits die Treppe hinauf, um Ian Coates zu finden – und ihn zu töten.

KAPITEL 20

Eva kauerte sich in den Schatten unter dem Fenster. Durch die Jalousie fiel ein rötlicher Lichtschein. Mitchells Augen glühten in dem dämmrigen Schein wie die eines Tigers. Er duckte sich direkt neben ihr, so nahe, dass sie das Heben und Senken seiner Brust fühlen konnte. Er blickte ruhig in Richtung Tür, jederzeit bereit loszuschlagen.

»Danke …«, krächzte Ian Coates.

»Leise«, mahnte Mitchell flüsternd. »Wir müssen hören, wie viele kommen und wann.«

Offenbar hatte er Evas Zittern gespürt, denn er neigte sich zu ihr. »Bleib hier. Beweg dich nicht, bis ich es dir sage.« Seine Stimme war sanft und überraschend tief.

Eva spürte seinen heißen Atem an ihrem Ohr und wusste nicht, ob sie sich dadurch beruhigt oder noch ängstlicher fühlen sollte.

»Danke, dass ihr gekommen seid …«, meldete sich Coates erneut. Seine Stimme war so dünn, dass Eva ihn kaum verstehen konnte. Er murmelte noch etwas, doch dann verstummte er rasch wieder. Eva glaubte das Wort »Georgie« gehört zu haben. Hatte der Premierminister sie versehentlich als seine Tochter angesprochen?

Sie warteten gefühlte Stunden. *Wir hätten versuchen sollen zu fliehen*, dachte Eva. Ihre Atemgeräusche verschmolzen mit denen Mitchells. Andere Laute konnte sie im Augenblick nicht hören. Sie musste darauf vertrauen, dass Mitchell mehr wahrnahm – die Vibrationen irgendwelcher Bewegungen im Gebäude, vielleicht sogar den Aufzug, der ihm verriet, ob jemand in die Nähe des obersten Stockwerks gelangte. Alle übrigen Patienten waren offenkundig eilig in einen anderen Teil des Krankenhauses verlegt worden.

Sie hatten beide Kampfgeräusche unten auf der Straße gehört, ohne die genaue Ursache ergründen zu können. Eva wusste nur, dass Dutzende von *NJ7*-Agenten auf Schnellbooten in Richtung Krankenhaus gejagt waren. Wo mochten sie jetzt sein?

»Ist irgendjemand …«, begann Eva, aber Mitchell schnitt ihr das Wort ab.

»Psst!« Er legte eine Hand auf ihre. Sie war erschrocken, wie kühl seine Finger waren. »Jemand ist –«

Das Klicken des Türgriffs unterbrach ihn. Und als die Tür aufflog, durchquerte er mit einem einzigen gewaltigen Sprung den Raum.

Eva zuckte zusammen, höchstwahrscheinlich würde sie gleich in einen blutigen Nahkampf verwickelt werden. Sie kauerte in der Ecke und wandte sich ab. Sie fühlte sich innerlich zerrissen: Ein Teil von ihr war in großer Sorge um Mitchell. *Warum?*, fragte sie sich gleichzeitig verzweifelt. *Er ist doch mein Feind!*

Plötzlich wurde ihr die Stille im Krankzimmer bewusst. Wo waren die Kampfgeräusche? Sie zwang sich, zur Tür zu blicken. Mitchell war zurückgewichen und stand wie angewurzelt in der Mitte des Raumes. Eva spähte an ihm vorbei und erkannte im Türrahmen die Silhouette eines anderen Jungen, der tropfnass die letzten Krümel eines Päckchens Chips in seinen Mund schüttete: Jimmy.

»Weg vom Premierminister«, knurrte Jimmy.

»Wir sind hier, um ihn zu retten«, fauchte Mitchell zurück. »Nicht um ihn zu töten.«

Jimmy trat vorsichtig ins Krankenzimmer und schloss die Tür hinter sich. Das durch die Jalousie fallende Licht warf horizontale Schatten auf sein Gesicht. Wasser sammelte sich zu seinen Füßen. Seine Fingerknöchel bluteten von den Kämpfen mit den *NJ7*-Agenten, die bewusstlos im ganzen Gebäude verstreut lagen.

»Ich weiß, was los ist«, sagte er entschlossen und stopfte die Chipstüte in seine Tasche. »Miss Bennett übernimmt die Macht. Sie will ihn loswerden …« Er deutete mit dem Daumen auf Ian Coates, ohne den Mann dabei anzusehen. »Sie hat dich mit einem Team geschickt, um den Job zu beenden.«

»Denk darüber nach«, konterte Mitchell sofort. »Hätte sie mich wirklich geschickt, wäre der Job bereits erledigt. Ich brauche für so was keine Hilfe.« Seine Schultern hoben sich leicht und das T-Shirt spannte sich über seinen mächtigen Deltamuskeln.

Jimmy machte einen Schritt. Er spürte die Spannung

in seinen Händen und Energie durchströmte ihn bis in die Fingerspitzen. Er war bereit zum Angriff. *Noch nicht*, ermahnte er sich selbst. »Sehe ich überzeugt aus?«, fauchte er zwischen zusammengebissenen Zähnen.

»Es ist wahr, Jimmy.« Eva sprang auf, um Mitchell beizustehen. Ihr Einschreiten bremste sofort Jimmys Aggression, was Mitchell nicht entging. Er blickte misstrauisch zu Eva und dann zurück zu Jimmy.

»Warum glaubst du ihr mehr als mir?«, fragte er bitter. »Sie ist diejenige, die dich verraten hat.«

»Und du bist derjenige, der mir normalerweise eine Faust ins Gesicht zu rammen versucht«, schnappte Jimmy.

Die beiden Jungen gingen einen halben Schritt aufeinander zu.

»Jimmy!« Ian Coates' heiseres Flüstern ließ Jimmy innehalten. Sein Körper wusste nicht, ob er vor Freude jubeln oder vor Wut explodieren sollte. Es war die Stimme des Mannes, der ihn erzogen, mit ihm gespielt und ihn getröstet hatte – ihn dann aber verraten, ihn als Sohn verleugnet und ihn schließlich sogar hatte umbringen lassen wollen.

Tausend Gedanken schossen durch Jimmys Kopf, aber keiner war wirklich klar zu fassen. Er fühlte sich zum Bett seines Vaters hingezogen. Das Gesicht des Mannes war schrecklich entstellt, die Haut fleckig und blass, aber auf seinen Lippen lag ein schwaches Lächeln. Bei diesem Anblick wurde Jimmy ganz übel.

»Du …«, krächzte Jimmy. »Wie konntest du …?«

»Was ist los, Jimmy?«, fragte Ian Coates endlich und bewegte sich in seinem Bett. »Hast du gerade gesagt, Miss Bennett übernimmt die Macht?«

Jimmy brachte keinen Ton heraus. Er war gebannt vom Gesicht des Mannes. Er erkannte den Vater seiner Kindheit kaum wieder – dieser Mann war viel, viel älter. Dazu kam der seltsame Ausdruck: ein halbes Lächeln, das mit jeder Sekunde zuversichtlicher wurde.

»Fühlen Sie sich besser … Sir?«, fragte Mitchell.

Ian Coates atmete schwer, aber seine Wangen bekamen schon wieder Farbe. Er nickte langsam, ohne die Augen von Jimmy abzuwenden.

Plötzlich machte Jimmy einen Satz vorwärts. Die Wut in seiner Brust quoll über, angeheizt durch den überwältigenden Killerinstinkt. Er landete mit dem Knie auf Ian Coates' Brust, packte mit einer Hand das Kinn des Mannes und drückte seinen Kopf zurück. »Ich könnte dir auf der Stelle das Genick brechen«, schnaubte Jimmy.

Mitchell setzte sich in Bewegung.

Jimmy bemerkte den Schatten des anderen Jungen. Doch er konnte ihm weder ausweichen noch konnte er den Angriff auf seinen Vater beenden. Irgendetwas blockierte Jimmys Muskeln – war es seine Konditionierung oder sein menschliches Gewissen? Er starrte seinem Vater für den Bruchteil einer Sekunde in die Augen, dann donnerte Mitchell gegen ihn.

Mitchell traf Jimmy mit der Gewalt eines Taifuns. Beide stürzten vom Bett auf den Boden. Erst jetzt lösten sich Jimmys Muskeln, gerade noch rechtzeitig, um sich aus Mitchells Griff zu befreien und aufzuspringen. Die beiden Jungen standen einander gegenüber, wachsam jede Regung ihres Gegners aufnehmend, bereit, beim ersten Anzeichen eines Angriffs zurückzuschlagen.

»Also ist keiner von euch hier, um mich zu töten«, bemerkte Ian Coates mit einem erstickten Flüstern.

»Ich diene meinem Land«, erwiderte Mitchell schnell, fast automatisch. Er starrte in Jimmys Gesicht und sein Körper zögerte für einen Augenblick. Nach der längsten Sekunde in Jimmys Leben trat Mitchell wieder in Aktion und zielte mit einem Tritt auf Jimmys Schläfe. Jimmy duckte sich zur Seite, packte Mitchells Knöchel mit beiden Händen und schwang sich daran unter das Bett des Premierministers. Er rutschte über den Boden, kam auf der anderen Seite des Bettes heraus, sprang wieder auf und drehte sich zu seinem Gegner. Der Premierminister lag nun zwischen ihnen.

»Genug«, befahl Ian Coates.

Mitchell und Jimmy erstarrten.

»Aber … aber …«, stammelte Mitchell.

»Er ist nicht dein Ziel«, bekräftigte Coates. »Fürs Erste. Wenn wir Miss Bennett aufhalten wollen, müssen wir zusammenarbeiten. Wir alle. Ich brauche eure Hilfe und ihr braucht mich lebend.«

Mitchell senkte den Blick wie ein begossener Pudel.

»Es ist okay, Mitchell«, erklärte Coates. »Jimmy weiß genau, wenn er mich tötet, dann erledigt er die Arbeit für den *NJ7*. Miss Bennett würde triumphieren. Das stimmt doch, oder, Jimmy?«

Jimmy nickte vorsichtig, aber so einfach war das nicht. Seine menschlichen Gefühle wollten Rache. War es ausnahmsweise einmal seine Konditionierung, die ihn zurückhielt? Hatte er eine Art eingebauten Respekt vor dem Premierminister, der stärker war als sein Wunsch nach Rache oder Gerechtigkeit?

»Und wenn Miss Bennett gewinnt«, fuhr Ian Coates mit wachsender Energie fort, »dann wird die Person, die wirklich hinter dem Angriff auf das Hochhaus steckt, Elend und Verwüstung über ganz Großbritannien bringen«. Er sah schnell zu Mitchell, der leicht zusammenzuckte. »Das wollen wir doch nicht, oder, Mitchell?«

Mitchell schwieg.

»Du hast schreckliche Dinge getan«, flüsterte Jimmy, ohne seinen Vater dabei anzusehen, um keinen weiteren Angriffsimpuls auszulösen.

»Glaub mir, Jimmy«, antwortete Ian Coates. »Das Video, in dem ich das Bombenattentat auf das Hochhaus befehle – es war eine Fälschung.« Seine Worte sprudelten jetzt fast gehetzt hervor. »Miss Bennett – sie steckt hinter diesem schrecklichen Anschlag. Sie ist diejenige, die das Land wirklich führt. Und jetzt will sie offiziell die Macht übernehmen. Wir dürfen das nicht zulassen!«

Jimmy bemerkte, dass Mitchell sich eine Bemerkung verkniff. Dann blickte Mitchell zu Eva, die sich gegen das Fenster drückte und ihr Gesicht in den Händen barg. Jimmy zitterte und war innerlich aufgewühlt.

»Ich wollte sagen«, flüsterte er, »du hast *mir* schreckliche Dinge angetan.«

Seine Augen wurden feucht, und er senkte den Blick zu Boden, um seine Gefühle zu verbergen. Dabei bemerkte er wieder einmal die wachsenden blauen Flecken um seine Fingerspitzen, und nun konnte er die Tränen nicht mehr zurückhalten.

Für einen Moment herrschte Stille.

»Ich bin kein schlechter Mensch, Jimmy«, erklärte Ian Coates leise. »Das musst du mir glauben.«

»Beweise es«, krächzte Jimmy.

Erneute herrschte Schweigen, bis Eva zu Jimmy trat und ihm eine Hand auf die Schulter legte. »Wir müssen ihn hier rausbringen, Jimmy«, bat sie. »Miss Bennett wird nicht aufgeben. Sie wird mehr Truppen schicken, um ihn zu töten, und dann wird sie übernehmen. Die Öffentlichkeit ist bereits auf ihrer Seite. Schau.« Sie zog ihn zum Fenster und bog die Jalousie auseinander.

Jimmy blinzelte hinaus auf das Parlamentsgebäude, Big Ben und die Themse. Dann bemerkte er, dass die Westminster Bridge noch dichter bevölkert war und die Menschen in beide Richtungen strömten. Er konnte ihre Schreie nicht hören und ihre Mienen nicht erkennen, aber einige boxten immer wieder in die Luft. Andere hatten einfach ihre Fäuste erhoben.

»Sie hat die Menge in der Hand«, erklärte Eva. »Sie wird warten, bis vollständiges Chaos ausbricht. Dann wird sie verkünden, dass der Premierminister tot ist und die Kontrolle übernehmen. Es gibt nichts, was wir tun können, wenn wir ihn nicht in Sicherheit bringen.« Sie nickte in Ian Coates' Richtung.

»Das wird nichts nützen«, murmelte Jimmy.

»Was dann?« Eva warf verzweifelt ihre Hände in die Höhe.

Jimmy drehte sich von neuer Energie durchströmt zu ihr um.

»Hör mir zu«, sagte er selbstbewusst. »Du auch, Mitchell.«

Mitchell starrte Jimmy skeptisch an, doch er lauschte seinen Worten.

»Auf dem Vorplatz des öffentlichen Flügels dieses Krankenhauses parkt ein Übertragungswagen der *Corporation*. Ihr müsst ein paar Dinge von dort holen.«

»Ich arbeite nicht für dich«, grunzte Mitchell.

»Tu es«, befahl Jimmy. Seine Stimme klang mächtiger und überzeugender als jede Waffe. »Wir müssen das für immer beenden.«

Jimmy drehte sich zum Fenster und wartete, bis er Mitchell und Eva im Aufzug hinunterfahren hörte. Er tat, als würde er hinausstarren, dabei sah er nur die Lamellen der Jalousien. Die Atemgeräusche seines Vaters erfüllten den Raum.

»Jimmy«, sagte Ian Coates schließlich mit sanfter Stimme.

Jimmy zitterte vor Wut und versuchte es zu unterdrücken.

»Ich war dort«, flüsterte Jimmy. »Im Hochhaus.«

»Was?« Sein Vater klang entsetzt.

»Ich habe versucht …« Jimmys Stimme versagte,

überwältigt von der Erinnerung an die Hitze … die Explosion … die totale Zerstörung.

»Ich habe auch versucht sie zu stoppen«, erklärte Ian Coates eilig. »Ich haben ihnen gesagt, dass es ein Skandal ist. Aber Miss Bennett …«

»Halt die Klappe!«, fauchte Jimmy und umklammerte seinen Kopf mit den Händen. Er hörte immer wieder die Stimme seines Vaters auf dieser Aufnahme: *»Wir werden das Hochhaus auf dem Walnut Tree Walk sprengen!«*

Die Worte hallten in ihm wider, bis sie keinen Sinn mehr ergaben. *Es war eine Fälschung*, versicherte sich Jimmy und versuchte die entsetzlichen Erinnerungen auszublenden.

»Es war eine Fälschung!«, murmelte er durch seine zusammengebissenen Zähne.

»Ja«, bestätigte sein Vater verzweifelt. »Das war es! Ich habe es im Fernsehen gesehen. Es war eine Fälschung! Ich hätte niemals einen Anschlag auf ein Hochhaus in London befohlen. Das hätte mich zu einem …«

Erst jetzt sah Jimmy seinen Vater an. Das Gesicht des Mannes war wieder blass und von Tränen überströmt.

»Das hätte mich zu einem Monster gemacht«, keuchte er.

KAPITEL 21

Bevor Jimmy auf die Worte seines Vaters reagieren konnte, flog die Tür auf. Mitchell kam mit einer Fernsehkamera über der Schulter herein, während Eva sich hinter ihm mit einem langen Mikrofongalgen, einem tragbaren Aufzeichnungsgerät, mehreren Kabeln und einem Kopfhörer herumschlug.

Mit großer Willensanstrengung schluckte Jimmy seine Gefühle hinunter. Er zog das Handy aus seiner Tasche und gab es seinem Vater.

»Ruf die *Corporation* an«, befahl er.

»Wie lautet die Nummer?«, fragte Ian Coates.

»Du bist der Premierminister«, knurrte Jimmy. »Ich bin sicher, du wirst dich daran erinnern.«

Sein Vater wirkte kurz fassungslos, nickte dann aber schnell und begann zu wählen.

»Du verlangst die Nachrichtenredaktion«, fuhr Jimmy fort. »Du willst eine Ansprache an die Nation halten, und sie sollen es live auf allen Kanälen übertragen – genau wie sie es bei Miss Bennett getan haben.«

»Der Premierminister ruft nicht einfach so die Nachrichtenredaktion an, Jimmy.« Ian Coates hielt das Telefon an sein Ohr, aber in letzter Sekunde packte Jimmy das Handgelenk seines Vaters und drückte einen Knopf.

»Frei sprechen«, erklärte er. »Nur damit wir alle wissen, was läuft.«

Coates nickte langsam und hielt das Telefon an den Mund. Als am anderen Ende jemand abhob, war es ganz offensichtlich nicht die für die allgemeine Öffentlichkeit bestimmte Telefonzentrale.

»Bitte nennen Sie Ihren Code«, sagte die Stimme eines Mannes in roboterhaftem Ton.

»Cobra, Robin, Alpha, One, Grey«, sagte Ian Coates. Sein Blick schoss zwischen Jimmy, Mitchell und Eva hin und her. Sie standen um sein Bett und starrten ihn an.

Es machte *klick* am anderen Ende der Leitung, dann ertönte eine Stimme.

»Hallo?«, sagte der Mann. »Premierminister?«

»Ja«, sagte Coates. »Sind Sie der Chef vom Dienst?«

»Ja, Sir.« Der Mann klang überrascht – als wäre er gerade erst aufgewacht.

»Es ist gut zu wissen, dass diese Vorgehensweisen für den Ausnahmefall tatsächlich funktionieren, nicht wahr?« Ian Coates stieß ein gezwungenes Lachen aus. Für Jimmy klang er dadurch nur noch nervöser.

»Mach weiter«, flüsterte Jimmy. »Sag ihm, dass du eine Nachricht senden musst.«

»Ich will mich an die Nation wenden«, sagte Ian Coates ins Telefon, den Blick auf Jimmy geheftet. »Sie sollen es ausstrahlen.«

»Eine Ansprache an die Nation?«, sagte der Chef

vom Dienst. »In Ordnung … also … Ich schicke Ihnen ein Team –«

»Wir haben alles, was wir brauchen«, unterbrach ihn Coates und musterte dabei die Ausrüstung, die Mitchell und Eva hochgeschleppt hatten. »Wir haben eine Kamera, und das gedrehte Material wird vermutlich per Funk direkt an den Übertragungswagen geschickt, richtig?«

»Ja, ja …«, antwortete der Chef vom Dienst eilig. »Die Kamera stellt automatisch eine Funkverbindung her, dann wird das Material per Satellit an die *Corporation* gesendet.«

»Sag ihm, er soll es auf jedem Kanal bringen«, drängte Jimmy. »Live.«

Sein Vater legte den Daumen über das Mikro des Handys und starrte Jimmy an.

»Du kannst mich nicht dazu zwingen«, flüsterte er zunehmend aufgebracht. »Ich bin immer noch an der Macht, und ich bin derjenige, der entscheidet …«

»Das ist deine einzige Chance«, beharrte Jimmy. »Die Öffentlichkeit muss dich gesund sehen, damit Miss Bennett dich nicht töten und es auf eine Krankheit schieben kann. Und du musst die Leute wieder auf deine Seite bringen.«

»Das geht aber nicht mit so einer albernen Rede im Fernsehen!«

»Das hängt davon ab, was du sagst.«

»Ich sage, was ich will.«

»Nein.« Jimmy wurde jetzt laut, und es war ihm egal, ob der Chef vom Dienst ihn hörte. »Es gibt nur ein

Argument, das dich selbst und dieses Land noch retten kann. Und ich werde es dir liefern.«

Jimmy und sein Vater starrten sich an, während Ian Coates im Kopf offenbar blitzschnell seine Optionen durchging. War ihm klar, was er zu tun hatte? Hatte er eine Ahnung, wie instabil das Land in diesem Moment war?

»Bringen Sie mich auf jedem Kanal«, knurrte der Premierminister endlich ins Telefon. »Live.«

Alle warteten auf eine Antwort, aber der Diensthabende schwieg einige Sekunden.

»Gibt es ein Problem?«, fragte Ian Coates.

»Nun ...«, sagte die Stimme am Telefon.

»Brauchen Sie einen anderen Autorisierungscode?«

»Nein ... nein ...«, stammelte der Chef vom Dienst. »Wir wissen, dass Sie es sind. Sie haben uns die Codes gegeben und wir haben eine Stimmerkennungssoftware ...«

»Wo liegt also das Problem?«, ranzte Coates.

»Ich habe Anweisungen, Sir«, erklärte der Mann.

»Anweisungen?«

Jimmy wurde immer aufgeregter. »Klär das«, zischte er. »Wir haben nicht viel Zeit. Miss Bennett schickt vermutlich weitere Truppen ...«

»Es sind Anweisungen Ihres eigenen Geheimdienstes, Sir«, erklärte der Chef vom Dienst. »Von dort wurde eine Sicherheitsmaßnahme angeordnet. Alles zu sendende Material muss zunächst von deren Büro abgesegnet werden.«

»Ich bin der Premierminister!«, schrie Coates. »Deren Büro ist mein Büro!«

»Es tut mir leid, Sir.« Der Mann klang jetzt wirklich verängstigt. »Ich handle auf ausdrücklichen Befehl von Miss Bennett. Sie war sehr … überzeugend.«

Jimmy ballte wütend seine Fäuste.

»Ich wusste, dass sie das tun würde«, keuchte Eva. Sie wandte sich an Jimmy und flüsterte: »Die *Corporation* wurde schon immer vom *NJ7* überwacht. Jetzt hat Miss Bennett die volle Kontrolle.«

»Das kann sie nicht tun!«, schrie Jimmy.

»Sie kann alles tun, was sie will«, antwortete Eva.

»Noch mehr brillante Ideen?«, fragte Ian Coates, weiterhin am Telefon. »Kann ich diesen lächerlichen Anruf jetzt beenden? Ich glaube, ich bin stark genug, um hier rauszukommen.«

»Und wohin?«, schnappte Eva. »Wenn Miss Bennett die Kontrolle über die *Corporation* hat, dann hat sie die Kontrolle über das ganze Land, egal ob Sie nun leben oder nicht.«

»Sie hat recht«, stimmte Jimmy zu. »Miss Bennett muss dich nicht einmal töten, wenn sie die Macht über die Meinungen und die Gedanken der Menschen hat …« Er verstummte. In seinem Kopf drehte sich alles. Es musste einen Weg geben, den Premierminister ins Fernsehen zu bringen. Das war Jimmys einzige Chance, eine Botschaft an das ganze Land zu senden und alle zum Zuhören zu zwingen.

Jimmy konnte fühlen, wie die Konditionierung auf

sein Gehirn zugriff, und ein mächtiger Energieschub ließ seine Brust anschwellen. Seine Hände zuckten an seine Kehle, er wollte husten, konnte aber nicht. Im Augenwinkel sah er Mitchell in genau der gleichen Haltung – Hände um den Hals geschlungen, seitlich schaukelnd, den Mund in einem heftigen Hustenreiz geöffnet. Was passiert hier?

Endlich wurde es Jimmy klar. Es war offensichtlich. Er riss seinem Vater das Telefon aus der Hand. Gleichzeitig streckte Mitchell die Hand danach aus. Beide packten den Hörer, ihre Finger verhakten sich ineinander. Sie sahen sich erschrocken an. Aber bevor Jimmy reagieren konnte, verstärkte sich das Brennen in seiner Kehle. Seine Lippen öffneten sich. Bei Mitchell passierte dasselbe. Es war, als ob Jimmy in einen Spiegel schauen würde.

»Folgen Sie jetzt genau meinen Anweisungen«, sagten Jimmy und Mitchell im selben Moment, und beide imitierten perfekt Miss Bennetts Stimme. Sie starrten sich an. Jimmy Herz pochte so heftig, als würde er geschlagen.

»Hallo?«, sagte die Stimme am anderen Ende der Leitung. »Wer ist da?«

Jimmy holte tief Luft. Seine Konditionierung lief immer noch auf Hochtouren. *Entspann dich*, befahl er sich selbst, und er löste unter Aufbietung seiner ganzen Kräfte die Finger vom Telefon. Er schloss die Augen und taumelte nach hinten, wo er sich gegen das Fenster lehnte.

Mitchells Arm führte das Telefon an den Mund.

Jimmy bewegte stumm seine Lippen mit, während Mitchell sprach. Seine besonderen Instinkte schienen den Inhalt jedes Satzes bereits genau zu kennen. Und wieder war es die Stimme von Miss Bennett, die den Raum erfüllte.

»Hier ist Miss Bennett«, rief Mitchell. »Seit wann ist es üblich, direkte Befehle des Premierministers zu missachten?«

»Miss Bennett?«, keuchte der Diensthabende. »Sie sind das?«

»Natürlich«, schnappte Mitchell. »Ich halte keine Rede ohne Unterstützung des Premiers.«

Jimmy war begeistert. Mitchell machte das besser, als er es je geschafft hätte. So viel Zeit mit der Frau verbracht zu haben, ermöglichte es Mitchell, nicht nur ihre Stimme, sondern auch ihren Tonfall und ihre Sprachmuster perfekt zu reproduzieren.

»Aber Sie haben befohlen ...«, stotterte der Mann am anderen Ende.

»Ich weiß, was ich befohlen habe«, sagte Mitchell. »Ich wusste aber nicht, dass ich es mit einem solchen Flachkopf zu tun habe.«

»Aber –«

»Tun Sie einfach, was der Premierminister Ihnen sagt«, befahl Mitchell, mit einem entnervten Seufzer.

Erst jetzt öffnete Jimmy seine Augen. Die Angst auf Mitchells Gesicht war ein perfektes Spiegelbild seiner eigenen Gefühle. Sie stand in völligem Gegensatz zur Autorität seiner Stimme.

Mitchell übergab das Telefon an Ian Coates, der nun Jimmys Anweisungen keinen Widerstand mehr entgegensetzte. In weniger als einer Minute war der Anruf beendet, und die *Corporation* war bereit, das Signal aus dem Krankenhaus zu übertragen.

Eva und Jimmy bauten die Kamera auf.

Mitchell brauchte einige Sekunden, bis er ihnen helfen konnte. Er stützte sich vorgebeugt auf ein Bettgestell und keuchte heftig.

»Es war, als wäre sie …«, flüsterte er.

Jimmy legte die Kamera ab und näherte sich dem anderen Jungen.

»Als säße sie in deiner Kehle«, ergänzte er leise. »Aber nicht nur in deiner Kehle. Auch im ganzen Gehirn. Als wäre jede deiner Erinnerungen mit ihr infiziert. Ihrer Stimme.«

Mitchell drehte langsam seinen Kopf, um Jimmy aus dem Augenwinkel zu betrachten. Sein gestreckter Rücken betonte die Kraft in seinen Schultern. Seit ihrer letzten Begegnung war Mitchell wieder ein Stück größer und breiter geworden. Er nickte einmal, sein blutunterlaufener Blick schien sich in Jimmys Schädel zu bohren.

»Wir sind immer noch Feinde«, knurrte er.

Jimmy lief ein kalter Schauer den Rücken hinunter.

»Kommt schon«, sagte Eva plötzlich und riss Jimmy und Mitchell aus ihrem stummen Kampf. »Wir sind bereit. Lasst uns filmen.«

Jimmy nahm rasch die Kamera, während Eva sich um

den Ton kümmerte und Mitchell das Bild freimachte. Ian Coates strich sich das Haar glatt nach hinten und kniff sich in die Wangen, um ihnen eine gesündere Farbe zu geben.

»Hast du Make-up, Eva?«, fragte er.

Jimmy konnte kaum fassen, dass sein Vater es ohne eine Spur von Ironie sagte.

Eva schüttelte den Kopf, schaute nicht einmal von der Tonanlage auf.

»Irgendeine Idee, wie das hier funktioniert?«, fragte sie schnell.

»Tut mir leid«, sagte Jimmy und bemühte sich weiter, die Kamera einigermaßen bequem auf seiner Schulter zu positionieren. »Es kann nicht so schwer sein. Fernsehleute machen das die ganze Zeit. Aber brauchen wir nicht jemanden im Ü-Wagen?«

»Ich glaube, es wurde so eingerichtet, dass es automatisch sendet«, erklärte Eva.

»Glaubst du?«

Eva zuckte mit den Achseln und sah Mitchell an, der nickte.

Jimmy wusste, dass das reichen würde.

»Okay«, seufzte er. »Bist du bereit?«

Eva nickte. »Wenn wir fertig sind, solltest du den Mann in der *Corporation* anrufen und ihn bitten, mehr Kochsendungen zu zeigen.«

Jimmy musste lächeln. Beide wussten, dass Felix fast süchtig nach Kochshows war und nie genug davon bekam. Jimmy konnte Evas Wärme und Sympathie spüren, obwohl sie nervös war und Mitchell oder dem Premierminister nicht verraten wollte, dass sie die ganze Zeit auf Jimmys Seite gestanden hatte.

»Und noch mehr Kung-Fu-Filme«, warf Mitchell ein. Erstaunt bemerkte Jimmy ein kleines Lächeln auf dem Gesicht seines Feindes. Fast hätte er selbst erneut gelächelt. Schließlich trat Mitchell zum ihm und legte seine riesigen Fäuste auf die Kamera.

»Sieht so aus, als hättest du Probleme damit«, sagte er leise, nahm die Kamera und hob sie auf seine eigene Schulter. Jimmy ließ es geschehen. Er konnte sich Mitchells innere Zerrissenheit gut vorstellen.

»Wie sehe ich aus?«, fragte Ian Coates.

Jimmy schwieg. Sein Vater hatte es geschafft, viel gesünder auszusehen, als er in Wahrheit war. Sogar seine Brust wölbte er mit einer Spur von Autorität hervor. Aber Jimmy war nicht stolz darauf. Seinen Vater wieder in einer Führungsposition zu sehen, erinnerte ihn an die Lügen, die der Mann verbreitet hatte, und dass er Jimmy ohne Zögern verlassen und verraten hatte. *Er ist nicht mein richtiger Vater,* wiederholte Jimmy immer wieder und versuchte den Mann distanziert zu betrachten. Nur ein weiteres Hindernis, das er aus dem Weg räumen musste.

»In Ordnung«, verkündete Coates, »ich glaube, ich weiß, was ich sagen werde. Lasst uns loslegen.«

»Nein«, erwiderte Jimmy leise. »Ich sag dir deinen Text.«

Ian Coates erstickte fast vor Empörung.

Jimmy ignorierte ihn. Schnell nickte er Mitchell zu, der die Kamera auf Ian Coates richtete. Ein kleines rotes Licht oben an der Kamera leuchtete auf. Jimmy nahm sein Handy und suchte die TV-Funktion.

»Kamera läuft«, kündigte Jimmy an und spürte in sich ein aufgeregtes Summen. Auf dem kleinen Bildschirm in seiner Handfläche erschien ein kristallklares Bild von Ian Coates auf seinem Krankenbett. »Guten Abend, liebe Landsleute«, flüsterte Jimmy, plötzlich besorgt, dass sein Vater nicht mitspielen könnte – entweder aus Sturheit oder aus Angst. »Mach schon!« Jimmy warf seinem Vater einen zornigen Blick zu. Plötzlich war er überzeugt, dass diese Idee nie funktionieren würde. Doch dann drehte sich Ian Coates zur Kamera, seine Lippen verzogen sich zu einem angespannten Lächeln. Er atmete tief ein, als würde er statt in eine Kamera in den Rachen eines wilden gefräßigen Tigers blicken.

Schließlich begann er ganz langsam: »Guten Abend, liebe Landsleute.«

KAPITEL 22

Jimmys Gedanken schossen mit rasender Geschwindigkeit durch seinen Kopf. Das hier war die Chance. Aber wie viel Kontrolle hatte er wirklich über seinen Vater? Oder, was noch wichtiger war, wie viel Macht hatte er über den Premierminister?

Jimmy wünschte sich, er hätte Menschen hypnotisieren oder mit anderen Tricks dazu bringen können, jedes seiner Worte zu befolgen, aber stattdessen musste er einfach darauf vertrauen, dass sein Vater die Konsequenzen für jeden Ungehorsam kannte. Jimmy war kurz davor gewesen, dem Mann ernsthaft zu schaden, niemand wusste, wie weit seine Konditionierung ihn beim nächsten Mal treiben würde. Dann war da noch eine weitere Bedrohung – Miss Bennett. Sie war irgendwo dort draußen in London und wollte die Macht übernehmen. Und nur diese Ansprache konnte sie aufhalten. Jimmy und sein Vater wussten das. Ian Coates musste darauf vertrauen, dass Jimmy sehr genau wusste, wie diese Botschaft die Aufmerksamkeit des ganzen Landes gewinnen und die Kontrolle zurückerobern konnte. Immerhin war Jimmy vor Kurzem noch mitten unter den aufgebrachten Londonern gewesen, während Ian Coates halb bewusstlos in einem Krankenhausbett gelegen hatte.

»Es gab einige schockierende Anschuldigungen«, begann Jimmy, so leise er konnte. Sein Vater wiederholte die Worte gehorsam, aber es klang künstlich und gestelzt. »Also habe ich beschlossen, allen Gerüchten ein für alle Mal ein Ende zu setzen.« Erneut sprach Ian Coates Jimmys Worte genau nach. Allmählich klang es immer fließender, als würde er sich die Rede in diesem Moment ausdenken.

»Ich lebe und es geht mir gut«, fuhr Jimmy fort, wobei sein Vater alles exakt wiederholte. »Und ich regiere immer noch Großbritannien.« An dieser Stelle begann Ian Coates, Jimmys Rede auszuschmücken, und fügte hinzu, er sei »stolz, an der Spitze einer großen Nation zu stehen«. Jimmy hatte nichts dagegen. Wenn es die Sprache erwachsener klingen ließe, würde es eine stärkere Wirkung haben.

»Und ich habe das Hochhaus nicht in die Luft gejagt«, sagte Jimmy.

»Die schreckliche Tat, die mir in die Schuhe geschoben wurde«, sagte sein Vater, »ist eine frei erfundene Lüge unseres französischen Feindes, die unseren nationalen Zusammenhalt schwächen soll.«

Nein, dachte Jimmy, *bleib bei dem, was ich dir sage!* Er verlor langsam die Kontrolle, musste aber weitermachen.

»Es gibt keinen Grund für Krieg«, sagte Jimmy. Er hielt inne und wartete auf seinen Vater.

Schließlich sagte Ian Coates: »Es gibt keinen Grund für Krieg.«

»Und ich werde die Franzosen bitten, unsere Konflikte friedlich zu lösen.«

»Und ich werde an die französische Nation appellieren«, sagte der Premierminister, »mit mir gemeinsam eine friedliche Lösung für unsere Differenzen zu suchen.«

Jimmy ballte die Kiefermuskeln und wurde nervös wegen der eigenmächtigen Änderungen seines Vaters.

»Was das Land jetzt braucht«, sagte Jimmy fest.

»Was das Land jetzt braucht …«

»Und der einzig richtige Weg, Großbritannien zu regieren«, fuhr Jimmy fort.

»Und der einzig richtige Weg, Großbritannien zu führen …«, murmelte Ian Coates nervös.

»… ist, wieder freie Wahlen einzuführen.« Jimmy betonte die Worte überdeutlich, als könnte er damit seinen Vater zwingen, sie auszusprechen.

Aber sein Vater schwieg.

»Sag es«, beharrte Jimmy. »Der einzig richtige Weg, Großbritannien zu regieren, ist es, wieder freie Wahlen einzuführen.« Doch er hörte nur sein laut pochendes Herz. Wie konnte er seinen Vater veranlassen, eine demokratische Parlamentswahl durchzuführen? Das würde alles verändern. Aber es würde auch allem widersprechen, woran Ian Coates glaubte.

Die Stille dehnte sich so lange, dass Jimmys Muskeln schon zu vibrieren begannen und sich zum Losschlagen bereit machten. Doch ein Kampf würde ihm jetzt nicht helfen. Diese Schlacht konnte man nur mit Worten gewinnen. Aber dann fühlte Jimmy seine Muskeln stärker, fast gewaltsam zittern. Etwas in ihm hatte erkannt, dass er nicht völlig machtlos war.

Plötzlich brannte es in Jimmys Kehle und Brust. In seinen Lungen schienen all seine Ängste und seine Hoffnungen durcheinanderzuwirbeln. Seine Lippen öffneten sich, und er wusste, welches Geräusch herauskommen würde.

»Was das Land jetzt braucht«, sagte er, und seine Worte dröhnten durch den Raum. Sie waren laut genug, um von dem Mikrofon in Evas Hand aufgenommen zu werden, und es war die Stimme seines Vaters. »Der einzig richtige Weg, Großbritannien zu führen, ist …«

»… ist es, wieder freie Wahlen einzuführen.« Es war der echte Ian Coates, der den Satz beendete. Er sagte es schnell, als würde er etwas Bittersüßes ausspucken.

Jimmy hustete und stotterte, aber er schaffte es, die nächsten Worte mit der Stimme seines Vaters herauszupressen.

»Demokratische, freie, öffentl–«

»Öffentliche Wahlen.« Wiederum vervollständigte der echte Ian Coates den Satz, sorgfältig artikuliert, aber in ausdruckslosem flachen Tonfall.

Jimmy beobachtete seinen Vater fassungslos.

Ian Coates fuhr sich mit zitternder Hand durch sein Haar, atmete tief ein und drückte seine Brust noch weiter heraus. »Ich berufe eine demokratische Parlamentswahl ein«, wiederholte er. Diesmal war seine Stimme fest und geschmeidig. Mit seiner Stimme veränderte sich auch sein Körper. Seine Muskeln entspannten sich. Innerhalb weniger Sekunden wirkte er viel stärker – und souveräner.

»Sie werden die Chance haben, den Anführer dieses Landes frei zu wählen«, sagte er, ohne auf Jimmys Aufforderung zu warten. Er brauchte sie nicht. Jetzt kapierte er, was Jimmy geplant hatte. Und er war damit einverstanden. »Die Ära dieser monströsen Angriffe auf Großbritannien muss beendet werden. Wir müssen unsere große Nation wieder einen.«

Jimmy traute seinen Augen und Ohren nicht. Sein Vater, Ian Coates, Führer des neodemokratischen Staates von Großbritannien, beendete die Neodemokratie und forderte eine freie Wahl. *Eine Wahl.* Jimmy wurde ganz heiß vor Aufregung.

Gleichzeitig verwandelte sich sein Vater von einem todkranken Mann, der vorgab, stark zu sein, in einen Mann, den eine gewaltige Kraft durchströmte. Der Mann schien von seinen eigenen inneren Kräften – denen eines Politikers – beherrscht zu werden. »Um das zu tun«, fuhr er fort, »rufe ich eine Parlamentswahl aus.« Er beugte sich leicht nach vorne und hob dann beide Fäuste in die Kamera. »Und ich habe vor, sie zu gewinnen.«

Das selbstgefällige Grinsen, mit dem Ian Coates in die Kamera glotzte, ließ Übelkeit in Jimmy aufsteigen.

Das Display seines Handys wurde schwarz, und er sah, wie Mitchell die Kamera absetzte. Erst jetzt wurde ihm die ganze Tragweite der Worte seines Vaters klar.

»Du hast es geschafft«, flüsterte Jimmy. »Du hast die Neodemokratie beendet.«

Ian Coates starrte ausdruckslos durch den Raum. Jimmy war es egal. Seine Rede im Fernsehen war völlig ausreichend.

»Du wirst eine Wahl ermöglichen?«, fragte Jimmy, der innerlich triumphierte, aber seinen Sieg nicht zu früh feiern wollte.

Sein Vater nickte grimmig. »Jetzt muss ich ja wohl«, sagte er. »Die Leute werden es erwarten. Wenn ich nach dem, was ich gerade gesagt habe, meine Meinung ändere, verliere ich alle Autorität. Also ja, es wird eine Wahl geben. Aber sobald ich gewonnen habe …«

»Du wirst nicht gewinnen«, widersprach Jimmy. »Die Menschen werden nicht …«

»Die Leute werden tun, was man ihnen sagt«, unterbrach ihn Ian Coates und fügte hinzu: »Wenn man es ihnen auf die richtige Weise beibringt.«

Jimmy wollte ihm widersprechen, aber da spannten sich plötzlich reflexhaft seine Muskeln. *Ein Geräusch.* Er sah rasch zu den anderen. Mitchell hatte es offenbar ebenfalls gehört.

»Sie sind vor dem Krankenhaus«, sagte Mitchell. »Sie kommen rein.«

»Schnell«, sagte Jimmy zu seinem Vater. »Wenn du dich stark genug fühlst, bringen wir dich in ein anderes

Zimmer und locken Miss Bennetts Männer hierher. Wir werden –«

»Das ist jetzt nicht mehr nötig, Jimmy«, sagte Ian Coates ruhig.

»Komm schon!«, beharrte Jimmy. »Wir müssen umziehen!«

Doch sein Vater rührte sich nicht von der Stelle, ebenso wie Mitchell und Eva.

»Jimmy«, sagte Eva sanft. »Er hat dem Land gezeigt, dass er lebt und das Sagen hat. Sie können ihn nicht mehr töten. Wenn Miss Bennett jetzt die Macht übernehmen wollte, würden alle von ihren Taten erfahren.«

»Sie ist eine Mörderin, Jimmy«, fügte Ian Coates hinzu, »aber nur im Geheimen. Ihre Geheimnisse sind ihre Stärke.«

»Dein Plan hat funktioniert«, erklärte Mitchell. »Du hast Mr Coates ins Fernsehen gebracht, um Miss Bennett zu stoppen.«

»Warum sind sie dann …?« Jimmy verstummte, als er die Blicke Evas, Mitchells und des Premierministers bemerkte.

»Sie kommen deinetwegen, Jimmy«, verkündete Ian Coates kühl.

»Meinetwegen?« Jimmys Kehle war so trocken, dass er kaum ein Wort herausbrachte.

»Ich nehme an, du hast auf dem Weg hierher ein ziemliches Chaos angerichtet«, sagte der Premierminister. »Dachtest du, das würde unbemerkt bleiben? Oder dass die Agenten, die du k. o. geschlagen hast, aufgeben würden? Ich bin nur überrascht, dass es so lange gedauert hat.«

Jimmy hörte den sich nähernden Aufzug und das Trampeln von Stiefeln auf der Treppe. Sein außergewöhnliches Gehör erfasste jedes Geräusch im Gebäude und seine Muskeln schienen mit den Vibrationen zu schwingen.

»Dann kam die Sendung«, fuhr Ian Coates fort. »Die Öffentlichkeit hat vielleicht nichts von den Vorgängen im Hintergrund gemerkt, aber Miss Bennett hat es sicher sofort durchschaut. Sie hat dank ihrer Techniker sicher dein Flüstern im Hintergrund identifizieren können.« Er zögerte, räusperte sich. »Nein, da bin ich mir sogar ganz sicher. Das ist ihre *NJ7*-Spezialeinheit. Und sie kommt deinetwegen.«

Jimmys Instinkte drängten ihn zur Flucht. *Hau ab,* hörte er in seinem Kopf. *Überlebe! Bewege dich JETZT!* Doch er bekämpfte diesen Drang und arbeitete mit all seiner Energie gegen diese starke Stimme tief in ihm. Er wollte bleiben. Er wollte Antworten.

»Warum sollten sie …«, begann er, brachte den Satz aber nicht zu Ende. Er starrte seinem Vater ins Gesicht und spürte, wie die Hitze in ihm aufstieg. »Du hast wieder das Sagen«, bestand er darauf. »Du kannst ihnen befehlen …«

Ian Coates' Ausdruck machte Jimmys Worte bedeutungslos. Der Mann versuchte, Gelassenheit an den Tag zu legen, aber die Panik in seinen Augen war offensichtlich. Aus dem Flur drangen die Geräusche der sich öffnenden Aufzugstüren.

»Das kannst du nicht tun«, bettelte Jimmy. »Gib ihnen neue Befehle! Du bist mein Vater!«

Draußen ertönten schnelle Schritte. Durchsuchten sie die Zimmer? Wie lange hatte Jimmy Zeit? Er spürte, wie die Konditionierung seine Muskeln aktivierte.

»Du bist mir wichtig, Jimmy«, antwortete Ian Coates.

Jimmy war zu verwirrt, um beurteilen zu können, ob er es ehrlich meinte.

»Aber selbst wenn ich dein biologischer Vater wäre, wäre ich immer noch der Premierminister. Ich trage Verantwortung.«

»Ich verstehe nicht!«, protestierte Jimmy. »Warum bist du dafür verantwortlich, mich zu töten?«

»Du bist eine Bedrohung.«

»Für wen?«

»Für alles, wofür das Land steht!«

»Das ist nicht wahr!«, schrie Jimmy, und es war ihm egal, ob er damit seine Position verriet. »Ich habe dich gerettet!«

»Aber du bist immer noch mein Feind!«, brüllte sein Vater zurück. »Wie oft hast du dich geweigert, für diese Regierung zu arbeiten? Wie oft hast du britische Operationen sabotiert? Und jetzt, da es eine Wahl geben wird, wirst du für Christopher Viggo kämpfen, nicht wahr?« Der Mann kochte vor Wut. Seine Augen waren blutunterlaufen und seine Hände zitterten. »Also stell nicht infrage, was meine Verantwortung ist!«

Dann wandte sich Ian Coates abrupt von Jimmy ab. Er drehte sich zu Mitchell und fauchte: »Dein Land braucht dich.«

Zafis Handy vibrierte in ihrer Tasche. Leicht verärgert zog sie es heraus, während sie wieselflink durch die Londoner Menschenmenge schlüpfte. Selbst beim Lesen behielt sie ihr Tempo bei.

Kurz tanzten die Buchstaben- und Zahlenfolgen auf ihrem Display, dann ordneten sie sich in ihrem Kopf neu und enthüllten eine Botschaft. Es war ein weiteres Update von ihren Chefs bei der *DGSE*. Sie hatten gerade eine Sendung von Ian Coates im Fernsehen abgefangen und rieten Zafi, die Krankenhäuser zu überprüfen und ihre Tötungsmission abzuschließen.

Zafi lachte höhnisch. Sie sprintete bereits über die Westminster Bridge, Richtung St. Thomas.

Um Jimmy herum verschwamm alles. Er konnte nicht schreien. Er konnte nicht mal denken. Die Wirkung von Ian Coates' Worten war schrecklich. Es war wie ein brutaler Stich in eine offene Wunde. Sämtliche emotionalen Schutzwälle, die er gegen seinen Vater aufgebaut hatte, bröselten. Alles in ihm schien zu Asche zu verbrennen.

Gleichzeit reagierte Mitchell, als ob Strom durch ihn hindurchjagte. Er stand aufrecht und jeder Muskel war angespannt.

»Mitchell!«, keuchte Eva, hielt sich aber zurück. War

es der Schock oder weil sie dem Premierminister gegenüber weiterhin loyal erscheinen wollte?

Mitchell zögerte.

Das ist der einzige Grund, warum ich noch lebe, hörte Jimmy sich selbst denken. Er konnte spüren, wie die Schwäche in ihm wuchs, sich an seinen Gefühlen festhielt und seinen ganzen Körper erfasste. Tränen stiegen ihm in die Augen. *Nein!* Jimmy suchte verzweifelt nach seinem inneren Agenten. Der hatte keine Emotionen. Der kannte keine Schwäche. *Zermalme diesen Schmerz!*, flehte Jimmy seinen eigenen Körper an.

Dann verwandelte sich Mitchells Gesicht in eine strenge Grimasse. Seine Lippen öffneten sich wie ein Spalt in einem Felsen, und seine Stimme ertönte rau und rumpelnd: »Ich befolge nur Befehle.«

In einer blitzartigen, ansatzlosen Bewegung hob Mitchell die Fernsehkamera vom Boden und schleuderte sie durch den Raum. Sie kam angezischt wie eine Kanonenkugel. Jimmy konnte sich nicht rechtzeitig ducken. Er konnte lediglich seinen Kopf mit den Armen schützen. Die Kamera riss ihn zu Boden. Evas Schrei ließ Jimmys Muskeln einen Gang höherschalten. Er rollte gerade noch rechtzeitig über das Linoleum, um einem Bodyslam von Mitchell auszuweichen. Am Ende seiner zweiten Rolle landeten Jimmys Hände exakt am Griff des Galgen-Mikrofons. In einem eleganten Schwung hämmerte Jimmy das große flockige Ende in Mitchells Bauch und benutzte die Wucht des Aufpralls, um aufzuspringen.

Reflexartig sprintete Jimmy zum Fenster, den Mikrofongalgen hinter sich her ziehend. Im letzten Augenblick sprang er in die Luft. *Ich werde sterben*, dachte er, doch seine Konditionierung pulverisierte sofort jeden Anflug von Panik.

Mit den Füßen voran krachte Jimmy durch das Fenster. Dabei angelte er, ohne sich umzuwenden, mit dem Mikrofongalgen das Laken aus dem Bett seines Vaters. Glasscherben explodierten in sein Gesicht. Dann umgab ihn die kalte Luft und er stürzte in die Tiefe.

KAPITEL 23

Jimmy sauste in Richtung Boden. Blut strömte über sein Gesicht. Etwas davon schmeckte er sogar in seinem Mund. Es war nicht zu fassen, dass er ein zweites Mal innerhalb von vierundzwanzig Stunden aus demselben Krankenhaus stürzte. Aber wieder einmal hatte seine Konditionierung die Kontrolle übernommen. Er wirbelte den Mikrofongalgen im Kreis über dem Kopf und das Bettlaken flatterte wie ein Segel.

Jimmys Muskeln pumpten härter und härter. Seine Schultern brannten. Die Luft zischte vorbei und die Schatten unter ihm näherten sich bedrohlich. Aber das wirbelnde Laken wirkte halb wie ein Fallschirm, halb wie der Rotor eines Hubschraubers. Natürlich war es längst nicht so effektiv, aber eine gewisse Wirkung erzielte es doch. Dann tauchte vor Jimmy etwas auf, das seine Konditionierung ausgeblendet hatte – die Bäume, die vor dem Krankenhaus den Fluss säumten.

Jimmy brach knirschend durch die Äste und landete mit den Füßen zuerst auf dem Gehweg. Seine Beine gaben nach, er ging zu Boden, seine Schulter knallte auf den Stein. Der Aufprall erschütterte seinen ganzen Körper und presste einen Schrei aus seiner Brust. Für eine Sekunde lag er auf dem Gehweg und sah alles nur noch verschwommen. Eine völlig verrückte Idee schoss ihm durch den Kopf: Vielleicht war er so hart gelandet, dass seine besonderen Kräfte gewissermaßen aus ihm herausgeschleudert worden waren. Vielleicht könnte er einfach weiter daliegen und sich von den Schmerzen überwältigen lassen, von ganz normalen, wunderbaren Schmerzen.

Steh auf, fegte eine Stimme in seinem Kopf diese Fantasien beiseite. Er ließ den Mikrofongalgen fallen und wischte sich den Mund mit dem Handrücken ab. Es blieb Blut daran kleben. Jimmy hatte keine Zeit, sich darum zu kümmern. Er hievte sich hoch, konnte aber kaum stehen, und sein linkes Bein war taub. Er blickte nach oben. War Mitchell ihm gefolgt? Doch das Bettlaken, das sich in den Ästen verfangen hatte, versperrte die Sicht.

Jimmy wollte losrennen, aber nach zwei humpelnden Schritten musste er sich mit einer Hand an der niedrigen Mauer abstützen. So würde er nicht vorankommen, auch wenn er bereits das erleichternde Kribbeln seiner besonderen Kräfte in den Beinen spürte.

Die Lösung lag auf der Hand. Das Schnellboot, das er als Rampe benutzt hatte, war immer noch da – ein paar Meter weiter lag es umgedreht auf der Mauer. Ohne zu zögern, sprang Jimmy über die Mauer und in eines der anderen Boote.

Das Aufheulen des Motors jagte einen freudigen Schauer durch seinen Körper. Die Themse wurde durch eine riesige Welle zu beiden Seiten des Bootes aufgepeitscht. Er lenkte das Boot in die Mitte des Flusses, um es auf Vollgas zu beschleunigen.

Immer noch gekrümmt vor Schmerzen donnerte Jimmy voran. Zu seiner Rechten befand sich das Krankenhaus, zu seiner Linken das Parlamentsgebäude. Jimmy hielt auf die Westminster Bridge zu.

Eva stieß einen durchdringenden Schrei aus, dann riss sie sich wieder zusammen. Mitchell und Jimmy waren in der Mitte des Raumes so schnell umeinandergewirbelt, dass sie fast zu einer Einheit verschmolzen schienen. Dann zersplitterte das Fenster. Eva schützte instinktiv ihr Gesicht. Sie sah gerade noch das flatternde Bettlaken, das wie eine riesige Fahne der Kapitulation hinter Jimmy wehte, während er aus dem Fenster sprang.

Er wird sterben, dachte Eva. *Er kann diesen Sturz nicht überleben*. Sie blickte zu Mitchell, aber der kletterte bereits durch die zerbrochene Glasscheibe hinaus.

»Ist er …?«, rief Eva. Sie brachte den Satz nicht zu Ende.

Mitchell verschwand durch die Fensteröffnung, ohne zurückzublicken. War Jimmy doch noch am Leben? Hatte Mitchell ihn gesehen? Evas Kopf dröhnte. Ihr Herz pochte heftig. Nach einer Weile wurde ihr klar, dass sie jetzt allein mit Ian Coates war. Der Premierminister hockte schief auf seinem Bett, ohne das Laken war sein Paisley-Pyjama nun vollständig zu sehen. Er starrte den beiden Jungs hinterher.

»Glauben Sie …?«, begann Eva.

Coates drehte sich zu ihr, wirkte aber völlig abwesend. Auf seinem Gesicht wechselten sich Verwirrung und Wut ab. Er wollte gerade etwas sagen, als die Tür aufflog.

»Was ist hier los?« Es war Miss Bennett.

»Sie!«, keuchte Coates. Er schwang seine Beine herum und versuchte aufzustehen, aber offenbar überforderte es seine Kräfte, und er musste sich am Bettrand abstützen.

Miss Bennett marschierte direkt zum Fenster. Drei riesige muskelbepackte Männer folgten ihr. Sie trugen Ohrhörer und auf ihren Revers prangten grüne Streifen.

»Sofort alle informieren«, murmelte Miss Bennett. »Das Zielobjekt ist entkommen.«

Eva fühlte, wie ihr Herz einen freudigen Sprung machte. Jimmy war noch am Leben. Sie wusste nicht, wie er das geschafft hatte, aber es musste so sein. Sonst hätte Miss Bennett ganz anders reagiert.

»Sichern Sie den Rest des Gebäudes, nur für den Fall«, fuhr Miss Bennett fort. Die drei Männer eilten davon. »Und überprüfen Sie das Dach. Ich habe dort etwas gehört.«

Endlich wandte sich Miss Bennett an Ian Coates. Selbst unter diesen extremen Umständen lehnte sie sich lässig an den leeren Fensterrahmen. Sie neigte ihren Kopf leicht zur Seite und strich sich eine Haarsträhne aus dem Gesicht. Eva war fasziniert. Mit diesem Blick in ihren Augen und den leicht geschürzten Lippen wirkte sie, als wollte sie einen entweder küssen oder töten, dachte Eva.

»Ihre Rede war ziemlich gelungen«, sagte sie leise.

»Ich hoffe, sie hat einen besseren Eindruck hinterlassen als meine letzte Fernsehübertragung.«

»Die Leute scheinen zufrieden zu sein«, erklärte Miss Bennett. »Sie sind etwas verwirrt, denke ich – ein neodemokratischer Premierminister, der eine Parlamentswahl fordert. Als ob Ihre Rückkehr ins Leben nicht genug wäre. Aber …« Sie zuckte mit den Achseln. »Die Öffentlichkeit ist immer verwirrt. Es ist besser so. Solange sie nicht randalieren, ist egal, was sie denken.«

»Wir müssen uns jetzt darum kümmern«, beharrte Coates. »Ich habe eine Wahl versprochen. Es war der einzige Weg …«

»Keine Sorge«, schnurrte Miss Bennett. »Wir werden die Wahl gewinnen. Wer sollte unser Gegner sein? Christopher Viggo? Mit dem werden wir fertig.«

Eva beobachtet Ian Coates aufmerksam. Er zitterte und seine Augen flackerten. »Was ist mit William Lee?«, fragte er. »Ist er derjenige, der mich vergiftet hat? Wollte er die Macht übernehmen?« Seine Stimme bebte.

»Er *wollte* die Macht übernehmen«, antwortete Miss Bennett. »Aber er hat Sie nicht vergiftet. Da bin ich mir ziemlich sicher.«

Eva verstand nicht, was vor sich ging. Ian Coates wusste, dass Miss Bennett versucht hatte, ihn zu töten. Sie und Mitchell hatten es ihm selbst gesagt. Eva warf einen Blick zu Miss Bennett, den diese mit der Energie eines Präzisionslasers erwiderte.

»Wenn Sie mich fragen«, sagte Miss Bennett leichthin, »dann finde ich es immer am besten, die Franzosen zu beschuldigen, wenn etwas schiefgeht.«

Plötzlich verstand Eva. Miss Bennett und Ian Coates kannten beide die Wahrheit. Aber was würde es helfen, alles offen anzusprechen? Ian Coates konnte nichts weiter tun, um sich vor Miss Bennett zu schützen – er konnte sie nicht verhaften; er konnte sie nicht verurteilen. Und sie konnte ihm nun auch nichts mehr antun, ohne sich damit selbst zu schaden.

»Das wird der Öffentlichkeit gefallen«, stimmte Coates zu. »Und was ist mit William Lee?«, fügte er vorsichtig hinzu. »Soll ich mich um ihn kümmern?«

»Nein«, antwortete Miss Bennett sofort. »Er ist öffentlich bloßgestellt worden. Er kann uns nichts mehr anhaben. Er kann nirgendwohin. Auf keinen Fall wird er sich auf Viggos Seite schlagen. Und er hat gewisse … Fähigkeiten. Wir wären dumm, auf einen so guten Mann zu verzichten. Ich werde ihn für meine Zwecke einspannen.«

»Wir werden ihn für *unsere* Zwecke einspannen«, korrigierte sie Coates vorsichtig.

Miss Bennett schüttelte langsam den Kopf und flüsterte: »Für meine Zwecke.«

Ian Coates senkte den Blick. Eva konnte fast spüren, wie seine Widerstandskraft erlahmte. »Was ist mit …«, murmelte der Mann und winkte mit einer schlaffen Hand in Evas Richtung. »Und mit Mitchell. Sollen wir …?«

Evas Blut gefror. Miss Bennett strahlte sie an. Es war das beängstigendste Lächeln, das Eva je gesehen hatte.

»Eva!«, rief Miss Bennett lachend. »Eva und Mitchell haben heute Abend ihre Loyalität gegenüber der Regierung bewiesen, nicht wahr?«

Eva nickte und konnte nirgendwo anders hinschauen als in Miss Bennetts riesige braune Augen.

»Und jetzt«, fuhr Miss Bennett fort, und ihr Lächeln wich einer völlig ausdruckslosen Maske, »müssen sie *mir* ihre Loyalität beweisen.«

Eva erstarrte. Sie bekam kaum noch Luft. »Ja …«, japste sie, »… Frau Premierministerin.«

»Oh!« Miss Bennett schlug ihre Hand schockiert auf den Mund und lachte wieder. »Nenn mich nicht so, Eva«, sagte sie. »Nein – dieser Herr hier hat heute Abend im Fernsehen deutlich gemacht, wer dieses Amt innehat. Hast du denn nicht zugesehen?«

Eva blickte verwirrt von Miss Bennett zu Ian Coates, aber der saß nur stumm auf dem Rand seines Bettes, den Kopf in beiden Händen.

»Im Augenblick werde ich sicher nicht Premierministerin«, erklärte Miss Bennett. »Aber in der letzten halben Stunde wurde mir klar, dass ich es auch gar nicht sein muss. Denn der Premierminister«, sie deutete in Richtung von Jimmys Vater, »hat mir gezeigt, dass es viel besser ist, das Land von hinter den Kulissen aus zu führen. Auf diese Weise lassen sich viel leichter Geheimnisse bewahren.« Sie senkte ihre Stimme und pausierte zwischen jedem Wort. »Geheimnisse. Sind. Macht.«

Plötzlich stieß Ian Coates ein verzweifeltes Stöhnen aus. Er schaukelte hin und her und hielt seinen Kopf umklammert.

»Brauchen Sie einen Arzt?«, fragte Eva.

Coates warf seinen Kopf in den Nacken und jammerte laut. Sein Gesicht war tränenüberströmt. »Was habe ich getan?«, stöhnte er.

»Ach, seien Sie still«, schnappte Miss Bennett. »Sie haben nichts getan. Ich habe rechtzeitig eine Feuerwehrübung organisiert, um sicherzustellen, dass das Hochhaus evakuiert wurde. Ich wollte nicht zulassen, dass Sie …«

»Aber ich –«

»Sie haben getan, was Sie tun mussten.« Miss Bennetts Tonfall war missbilligend, fast verächtlich. »Mächtige Männer müssen schwierige Entscheidungen treffen.«

»Bin ich ein mächtiger Mann?«, wimmerte Coates. »Oder bin ich …?«

»Sie sind nicht mehr mächtig«, antwortete Miss Bennett. »Also spielt es keine Rolle mehr, ob Sie böse sind oder nicht.«

»Aber für mich spielt es eine Rolle!«, schrie Coates. Er erhob sich mühsam und taumelte durch den Raum zu Miss Bennett und Eva.«

»Das Hochhaus!«, heulte er. »Was hätte da alles geschehen …?«

»Das war William Lees Plan!«, rief Miss Bennett. »Sie

haben es nur in die Tat umgesetzt, weil das Gift bereits in Ihrem Gehirn war.«

»Sie denken, ich war verrückt?«, weinte Coates, Speichel troff von seinem Mundwinkel. »Sie geben dem Gift die Schuld?«

Miss Bennett schwieg. Es war, als könnte sie seinen Anblick kaum ertragen.

»Was ist mit meinem Sohn?«, fragte Coates und torkelte weiter durch den Raum. »War ich auch verrückt, als ich Mitchell hinter ihm herschickte, um ihn zu töten?«

Miss Bennett sah angewidert aus. »Gehen Sie wieder ins Bett«, befahl sie. »Sie haben getan, was Sie tun mussten …«

BOOM!

Miss Bennett wurde durch einen Feuerball im Flur zum Schweigen gebracht. Die Zimmerwand wurde in Stücke gerissen wie Seidenpapier. Der Rest der Fenster zersplitterte. Eva und Miss Bennett wurden zu Boden geworfen, Ian Coates zurück auf sein Bett geschleudert. Eva sah nur noch schwarzen Rauch. Er brannte in ihren Augen. Sie hustete und keuchte – ebenso wie Miss Bennett und Ian Coates. Also waren sie zumindest alle noch am Leben und bei Bewusstsein.

Tatsächlich hatte die Explosion stärker gewirkt, als sie es tatsächlich war. Es war eine spezielle Art von Bombe, die den Überraschungseffekt maximieren, eine riesige Menge an Rauch erzeugen und so den Premierminister hilflos allen Angriffen aussetzen sollte.

Langsam lichteten sich die gewaltigen schwarzen Rauchschwaden. Eva wedelte den Rauch mit einer Hand beiseite und bedeckte Mund und Nase mit der anderen. Gleich darauf blitzte etwas und ein Schuss krachte. Dann ein weiterer. Eva erhaschte einen Blick auf Ian Coates, der sich unter seinem Bett zusammengerollt hatte. Miss Bennett stand neben dem Bett und schrie in ein Handy, das sie zwischen Schulter und Ohr geklemmt hatte. Eva konnte nicht verstehen, was, weil ihre Ohren von der Explosion und den Schüssen dröhnten.

Miss Bennett umklammerte mit beiden Händen eine Waffe. Sie schwenkte sie hin und her und feuerte immer wieder in die Dunkelheit, in Richtung Aufzug. Eva zuckte bei jedem Schuss zusammen. Wer war da draußen?

Als der Angreifer schließlich auftauchte, traute Eva ihren Augen kaum. Der Rauch selbst schien anzugreifen. Ein schwarzer Streifen flog in Brusthöhe auf Miss Bennett zu. Er hämmerte ihr die Waffe aus den Händen und schleuderte ihr Handy zu Boden. Der Schlag wirkte so gewaltig wie ein Tornado, der einem Baby einen Ballon entreißt.

Miss Bennett schaffte es gerade noch, auf den Beinen zu bleiben, doch nun sah sie sich mit einer kleinen, schlanken Gestalt konfrontiert, die von Kopf bis Fuß in Schwarz gekleidet war. Erst die blitzenden Augen verrieten, dass es sich um einen Menschen handelte. Hätte Eva allerdings durch die Maske schauen können, hätte sie gewusst, dass dieses Wesen nur zu 38 Prozent menschlich war. Sie hätte das Gesicht der mächtigsten und raffiniertesten Waffe des französischen Geheimdienstes wiedererkannt – Zafi Sauvage.

KAPITEL 24

Miss Bennett ließ sich nach links fallen und hob die Hände, um ihren Kopf zu schützen. Irgendwie gelang es ihr selbst dabei, die gewohnte Eleganz zu bewahren, kombiniert mit einer ungeheuren Geschwindigkeit und außergewöhnlichen Selbstverteidigungstechniken. Trotzdem war sie Zafi nicht gewachsen.

Zafi drehte sich auf dem Ballen ihres linken Fußes und rammte ihr rechtes Knie in Miss Bennetts Seite. An Miss Bennetts Sturz war nun nichts Elegantes mehr. Sie rutschte über das Linoleum, landete knapp einen Meter von Eva entfernt, rang um Luft und tastete verzweifelt nach ihrem Telefon.

»Nein!«, schrie Ian Coates unter dem Bett. Eva las es von den Lippen des Mannes ab – sie war immer noch leicht benommen. Doch dann hörte sie eine Stimme aus Miss Bennetts Handy. Es lag auf dem Boden zwischen ihnen. Zuerst konnte Eva die Worte kaum verstehen, doch dann wurden sie langsam deutlicher. Eine einzige Frage wurde immer wieder gestellt: »Ein Seil oder zwei?«

Was bedeutete das? Eva schaute entsetzt zu, wie Zafi das Bett zur Seite fegte. Es kippte um und segelte fast durch den leeren Fensterrahmen. Darunter kam der zusammengekauerte Ian Coates zum Vorschein.

»Retten Sie mich!«, schrie er, den Blick flehend auf Miss Bennett gerichtet.

»Ein Seil oder zwei?«, ertönte erneut die Frage aus dem Handy auf dem Boden. Miss Bennett packte Evas Knöchel. Was geschah hier? Die Frage klärte sich, als gleich darauf ein Hubschrauber heranknatterte und vor dem Fenster schwebte. Der Rauch wurde in riesigen Fetzen weggeblasen.

Über das Dröhnen der Rotoren hinweg hörte Eva etwas durch die Luft zischen. Ein Seil flog durchs Fenster, abgeschossen aus dem Hubschrauber. Es landete direkt neben Miss Bennett, die es sich schnappte und um ihren Unterarm wickelte. Augenblicklich wurde das Seil zurückgezogen. Zusammen wurden Miss Bennett und Eva über den Boden geschleppt.

Während Eva über das Linoleum rutschte, fest in Miss Bennetts Griff, blickte sie in Miss Bennetts Gesicht. Ihre Lippen öffneten sich schon, aber dann zögerte sie. Die Augen der Frau waren auf Ian Coates gerichtet.

Schließlich sprangen Miss Bennett und Eva auf. Sie mussten sich durch das Fenster stürzen, um nicht gegen die Wand zu prallen. Als Eva hinaus in die Nacht gezerrt wurde, hörte sie Miss Benett laut schreien: »ZWEI!«

Fast augenblicklich schoss ein zweites Seil aus dem Hubschrauber. Eva hing nun kopfüber und hatte den perfekten Blick auf das Zimmer, das sie gerade verlassen hatten. Im Wind blinzelnd sah sie, wie das Ende des zweiten Seils den Rücken von Ian Coates traf. Im gleichen Moment schoss die Hand der Attentäterin nach unten. Eva schrie – teils weil sie in rasendem Tempo aus dem obersten Stockwerk eines Gebäudes gerissen worden war und sich Miss Bennetts Nägel schmerzhaft in ihre Knöchel bohrten, teils weil der Kopf des Premierministers im Begriff war, wie eine Kokosnuss gespalten zu werden.

Aber Zafis Hand spaltete nur Luft. Im letzten Sekundenbruchteil zog sich das Seil zurück – und Ian Coates klammerte sich verzweifelt an dessen Ende.

Eva machte eine Bauchlandung in der Kabine des Hubschraubers. Sofort drehte sie sich und blickte zurück ins Krankenhaus. Ian Coates segelte zu ihnen herüber. Wie hatte Zafi ihre Chance verpassen können? *Sie hatte genug Zeit gehabt, um den Job zu erledigen*, dachte Eva.

Als Ian Coates an Bord krabbelte und keuchend neben ihr lag, verebbte Evas Angst und machte tausend Fragen Platz. Davon war eine besonders drängend – war es möglich, dass die französische Attentäterin dieselben moralischen Skrupel hatte wie Jimmy?

Doch es blieb keine Zeit, darüber nachzudenken. Der Hubschrauber schwenkte scharf zur Seite und sauste dann hoch in die Wolken, in Richtung der Daws Hill Royal Air Force Station. Eva lehnte sich gegen die Bordwand, während Miss Bennett Ian Coates zu sich heranzog.

»Glückwunsch!«, rief sie, während ihr das Haar wild

um den Kopf wirbelte. »Sie sind immer noch am Leben und immer noch Premierminister.« Ihr Lächeln verschwand, und sie zog Coates noch näher heran, bis ihre Nasenspitzen sich fast berührten. »Dein Leben gehört mir«, grinste sie.

Die Westminster Bridge war immer noch dicht bevölkert. Als Jimmy unter ihr hindurchraste, beugten sich die Leute neugierig über das Geländer. Jimmy nahm ihre geisterhaften, von gelbem Laternenlicht beleuchteten Gesichter wahr. Ein »Ooh« ertönte aus der Menge. In weniger als einer Sekunde hatte er sie hinter sich gelassen. Er tauchte in einer in allen Regenbogenfarben schillernden Fontäne auf der anderen Seite der Brücke wieder auf. Er wich einem riesigen Recyclingtrawler aus und manövrierte zwischen drei kleineren Schiffen hindurch.

Zu seiner Rechten funkelte das London Eye. Aber Jimmy bewegte sich zu schnell, um die Sehenswürdigkeiten zu genießen. Sein Körper arbeitete perfekt synchron mit dem Boot, das kleinste Zucken in seinen Unterarmen regulierte die Gewichtsverteilung. Über das Brüllen des Bootsmotors hinweg vernahm Jimmy ein zweites »Ooh«. Er musste sich nicht umsehen. Ihm war augenblicklich klar, dass ihn ein weiteres Boot verfolgte, und er wusste auch, wer es steuerte.

Eigentlich war es nicht nur ein Boot. Hinter ihm jagte Mitchell auf zwei Schnellbooten heran, mit je einem Fuß auf einem Boot. Als er unter der Westminster

Bridge herauskam, drehte er das Steuerrad des rechten Bootes und riss es mit einem massiven Ruck ab. Das blockierte die Lenkung. Dann stampfte er mit dem Fuß auf, brachte das Boot aus dem Gleichgewicht und schubste es schließlich weg. Er sprang in das linke Boot und lenkte es schnell nach links.

Die beiden Verfolgerboote – eins mit Mitchell an Bord, das andere führerlos – kurvten nun zu beiden Seiten in weitem Bogen um den Recyclingtrawler und richteten sich dann wieder zur Mitte des Flusses hin aus. Dort würden sich die beiden symmetrischen Bögen an einem Kollisionspunkt treffen – den Mitchell perfekt berechnet hatte. Genau an der Aufprallstelle würden sie Jimmys Boot zwischen sich zermalmen.

Das Umfahren der Hindernisse in der Mitte des Flusses hatte Jimmys Tempo so verlangsamt, dass Mitchells Boote ihn erwischen konnten. Sie näherten sich wie eine bösartige Zange. Jimmy konnte nicht stärker beschleunigen, und wenn er langsamer wurde oder stoppte, würde Mitchell seinen Kurs anpassen und ihm früher den Weg abschneiden. Es gab nur eine Möglichkeit. Jimmy scannte die Brücke vor ihm – die Hungerford Bridge. Eigentlich waren es drei Brücken in einem – zwei Fußgängerbrücken auf beiden Seiten einer Eisenbahnbrücke.

Früher als erwartet schossen Mitchells Boote auf ihn zu. Ihre Spitzen waren wie schwarze Säbel, bereit, alles zwischen sich aufzuspießen. Sobald Jimmy den Schatten der Hungerford Bridge erreichte, nahm er einen Anlauf von zwei Schritten und sprang vom Bug aus in die Luft.

Aus dem Augenwinkel bemerkte er, dass Mitchell den gleichen Satz machte. Genau in diesem Augenblick krachten alle drei Boote zusammen. Eines wurde nach oben geschleudert. Die anderen beiden explodierten beim Aufprall. Der Flammenball entzündete das Boot in der Luft und verursachte eine Doppeldetonation, die spektakulärer war als jedes Feuerwerk. Von der Westminster Bridge ertönte ein weiteres »Ooh«.

Die Menge hatte zwar den perfekten Blick auf die Zerstörung der Boote, doch Jimmy war ihren Blicken jetzt entzogen und baumelte an der Metallkonstruktion der Hungerford-Brücke. Nur ein schwaches Licht wurde vom Wasser reflektiert. Jimmys Nachtsichtfähigkeit schaltete sich ein, und er wusste, dass bei Mitchell in diesem Augenblick das Gleiche geschah. Doch die Schatten unter der Brücke waren immer noch undurchdringlich und die Ecken zwischen den Streben bildeten höhlenartige Verstecke. Das Ganze war wie ein gigantisches dreidimensionales Spinnennetz aus Metall. Aber war Jimmy die Spinne oder die gefangene Fliege?

Zuerst überlegte Jimmy, ob er sich ins Wasser fallen lassen und wegschwimmen sollte, aber das würde sofort seine Position verraten, und Mitchell war ein ebenso starker Schwimmer. Besser er brachte es hier zu Ende. Und Jimmy wusste aus Erfahrung, dass seine beste Chance darin bestand, Mitchell etwas zum Nachdenken zu geben.

»Du hast gehört, was der Premierminister gesagt hat«, rief Jimmy, der ständig wie ein riesiges Insekt in der Brücke herumkletterte, um seine Position zu verbergen. Seine Worte hallten von den Metallstreben und der Wasseroberfläche wider. »Es wird eine Wahl geben.«

Er erhielt keine Antwort. Nur eine Taube gurrte und flatterte weg.

Jimmy schwang sich schnell zwischen den Streben hindurch, die wegen seiner Nachtsicht bläulich schimmerten. Sie waren rutschig und zwischen ihnen hingen riesige Spinnweben. Immer wieder musste er sein Gesicht abwischen und den Staub ausspucken. Er hatte die Füße angezogen, um sich etwas leichter und so unsichtbar wie möglich zu machen.

Nirgendwo eine Spur von Mitchell.

Vielleicht ist er schon weg, dachte Jimmy. Vielleicht holte er weitere *NJ7*-Agenten zur Verstärkung? Doch Jimmy schloss das sofort wieder aus. Zwar hatte der *NJ7* bisher überraschenderweise noch keine Verstärkung geschickt, aber was auch immer der Grund dafür war, Mitchell würde definitiv nicht freiwillig von hier verschwinden.

Wenn Jimmy natürlich gewusst hätte, dass sämtliche *NJ7*-Agenten in der Gegend sich mit Zafi herumschlugen, hätte es ihm vielleicht etwas Selbstvertrauen gegeben. Doch im Augenblick fühlte er nur das Rumoren seiner besonderen Kräfte und eine tiefe Furcht. Er musste Mitchell ins Freie locken.

»Eine Wahl ändert alles!«, schrie Jimmy. »Das weißt du doch, oder? Die Neodemokratie ist am Ende.«

Mitchell reagierte nicht.

Er hat dazugelernt, dachte Jimmy. *Er hat sich angepasst.* Dann schoss ihm eine Frage durch den Kopf: *Warum habe ich das nicht?*

»In ein paar Wochen«, rief Jimmy mit bebender Stimme, »werden die Menschen wählen und die Regierung, die dich geschickt hat, um mich zu töten, wird nicht mehr bestehen.«

Endlich brach Mitchell sein Schweigen. »Ich glaube nicht, dass ich dann noch hier bin«, rief er.

Jimmys Gehirn brummte, als ob es an ein elektrisches Stromkabel angeschlossen worden wäre. Seine Konditionierung erzeugte ein Klangbild von Mitchells Stimme und versuchte, seine Position zu bestimmen.

»Ich wähle jetzt schon«, fuhr Mitchell fort. »Ich wähle deinen Tod.«

Und dann schlug er zu.

KAPITEL 25

Ein Luftzug hinter Jimmy alarmierte ihn gerade noch rechtzeitig. Er reagierte blitzschnell und instinktiv. Mitchell hing an einem Metallträger direkt hinter Jimmy und sein Fuß sauste auf Jimmys Hals zu.

Jimmy umklammerte mit den Füßen eine Strebe und ließ mit den Händen los. Sein Oberkörper fiel herab. Mitchells Sneaker streifte Jimmys Nasenspitze. Jimmy hing jetzt kopfüber, spannte aber seine Bauchmuskeln, um seine Schultern sofort wieder nach oben zu bringen. Er löste die Umklammerung seiner Füße, schwebte nun für einen Bruchteil einer Sekunde frei in der Luft. Sofort packte er die gleiche Strebe mit den Fingerspitzen und trat nach hinten aus. Jeder seiner Füße erwischte genau eine Hälfte von Mitchells Brustkorb.

Die beiden Jungen schwangen sich durch die Brückenkonstruktion wie olympische Turner. Sie tauschten Schläge mit einem solchen Tempo aus, dass es wie ein rasanter Trommelrhythmus klang. Jimmy ließ seine Konditionierung vollständig übernehmen. Seine Beine rotierten um seinen Körper, um immer wieder zuzutreten. Gleichzeitig blockte er Mitchells Angriffe mit den Händen ab – während er sich mit seiner Rechten gegen einen wilden Tritt verteidigte, umklammerte seine Linke die Strebe über seinem Kopf, dann umgekehrt.

Irgendwann gingen die Aktionen nahtlos ineinander über und verschmolzen zu einem einzigen wilden Wirbel. Jimmy fühlte sich wie in Trance und eine heiße, rote Energie pulsierte aus seiner Mitte in seine Extremitäten. Es war reine Mordlust. Mitchell musste dasselbe fühlen, und je länger der Kampf dauerte, desto glühender brannte sie in ihren Adern.

Einer von uns wird sterben, dachte Jimmy. *Ich kann es nicht verhindern.* Als er herumwirbelte und einen Tritt in Mitchells Bauch landete, wollte er aufschreien, um sich selbst aus seiner Raserei zu wecken. Nur war es keine Raserei – es war seine Konditionierung, und sie war stärker als je zuvor.

Im Flackern der Lichtreflexe und im Nachtsichtmodus verschwamm alles vor Jimmys Augen. Zuerst erkannte er den Unterschied zwischen Mitchells Fäusten und seinen eigenen nicht mehr. Mitchells Beine verschmolzen mit seinen Beinen. Und für einen schrecklichen Augenblick erkannte er seine eigenen Züge auf Mitchells Gesicht.

Nein, dachte Jimmy und versuchte verzweifelt, in seinem Bewusstsein wieder klare Grenzen zu ziehen. Er zwang sich wegzuschauen. Sein Körper folgte und schwang sich bis zum Rand der Brücke, wo er nach oben griff und seine Finger die Gehwegkante zu fassen bekamen. Doch Mitchell folgte ihm wie ein tödlicher Schatten. Und als Jimmy seinem Gegner erneut ins Gesicht blickte, sorgte das Licht für eine weitere optische Täuschung. Jimmys Gehirn projizierte ein älteres Gesicht auf das Mitchells: Ian Coates'.

»NEIN!«, schrie Jimmy. Er schloss die Augen und legte seine geballte Wut in einen letzten Kick. Und dieses eine Mal war Mitchells Verteidigung unzureichend. Jimmys Fuß prallte gegen das Kinn des anderen Jungen. Mitchells Kopf wurde nach hinten geschleudert, Blut schoss aus seiner Nase. *Bring es zu Ende*, hörte Jimmy seinen Instinkt fauchen.

Jimmy zwang sich, nicht mehr zuzuschlagen, während Mitchell hilflos war. Ein einziger Schlag auf Mitchells Hals und er wäre tot in die Themse gestürzt. Jimmy krallte seine Finger in das Metall, als ob er darin Wurzeln schlagen wollte, die ihn bewegungsunfähig machten. Dann begannen seine Hände zu vibrieren.

Zuerst dachte Jimmy, sein Körper würde sich seinem Willen widersetzen, aber dann ergab alles plötzlich einen Sinn: Er hörte das Rattern eines Zuges. Jimmy hing an der ersten der drei Brücken, die nebeneinander verliefen: Es war eine Fußgängerbrücke. Doch kaum einen Meter hinter seinem Kopf befand sich die Eisenbahnbrücke.

Gerade in diesem Augenblick schüttelte Mitchell die Wirkung von Jimmys Treffer ab und startete seinen Gegenangriff. Aber Jimmy schwang sich bereits hin und her, um sich unerwartet rückwärts zu werfen. Das Letzte, was er sah, war das Blut, das aus Mitchells Nase über seine Lippen floss.

Jimmy zog seine Knie an die Brust und machte einen Salto. Er hatte seinen Flug perfekt kalkuliert. Er hatte genug Abstand, um die Gleise zu erreichen, und genug Höhe, um über den Schutzzaun zu kommen. Er landete auf den Füßen, konnte aber das Gleichgewicht nicht halten und taumelte auf den Gleisen rückwärts. Er landete mit dem Hals auf der Schiene und starrte dem herandonnernden Zug direkt entgegen. Das Vibrieren des kalten Stahls schien Jimmys Entschlossenheit zu wecken. Er hatte keine Zeit für Panik und rollte sich einfach auf die andere Seite der Gleise. Einen Sekundenbruchteil später ratterte der Zug vorbei.

Jimmy wusste, dass Mitchell nicht aufgeben würde. Vielleicht war er ihm schon auf die Eisenbahnbrücke gefolgt. Um weitere Kämpfe zu vermeiden, sprang Jimmy hoch und klammerte sich an die Seite eines Waggons. Er schloss die Augen, presste seinen Kopf gegen das Metall und atmete langsam und tief, obwohl ihn die stickigen Dieselabgase der Lok umwehten.

Das Hämmern des Zuges klang für ihn wie Mitchells wütendes Geheul und es verschmolz mit seinen eigenen stummen Schreien.

William Lees riesige Gestalt wirkte in der winzigen Zelle der Polizeiwache von Westminster völlig fehl am Platz. Er lehnte sich in seinem Stuhl zurück, starrte an die Decke und lauschte dem Knarren der metallenen Stuhlbeine. In seinem Kopf ging er die Ereignisse der letzten Stunden durch, versuchte herauszufinden, wo die Dinge schiefgelaufen waren, und entwarf einen Plan für die nächste Zukunft.

Als er realisiert hatte, dass Miss Bennett diese Aufnahme von ihm hatte, wusste er sofort, dass sie damit die Medien manipulieren würde. Worauf er nicht vorbereitet war, war das rasante Tempo ihres Vorgehens. Lee hatte sich erbärmlich gefühlt, als er seine eigenen wütenden Ergüsse im Fernsehen gesehen hatte. Sofort hatte er seinen Plan geändert. Anstatt das Land zu übernehmen, wollte er nun nur noch so weit wie möglich weg. Doch er hatte gerade mal das Ende der Downing Street erreicht, als Miss Bennetts Männer ihn dingfest machten.

Natürlich hatte Miss Bennett strategisch meisterhaft gehandelt, aber ihr Vorgehen empörte ihn trotzdem. Plötzlich sprang er auf, schnappte den Stuhl und hieb ihn immer wieder gegen die Wand. Er hörte erst auf, als die Tür hinter ihm aufflog.

Lee ließ den nun unförmigen Klumpen aus Metall und Plastik fallen, richtete sich zu seiner vollen Größe auf und glättete die Haare an den Seiten seines Kopfes.

»Was gibt's?«, knurrte er.

Er bekam keine Antwort. Lee drehte sich um. Einer der *NJ7*-Agenten, die ihn hierhergebracht hatten, lehnte lässig in der Türöffnung. Er bedeutete Lee mit einem Kopfnicken, ihm zu folgen. Gemeinsam marschierten sie an den Zellen entlang und stiegen die Treppe zu den Büros hinauf.

Ein diensthabender Offizier wartete mit Lees persönlichen Sachen in einer durchsichtigen Plastiktüte – einschließlich seiner Uhr, seiner Brieftasche und seines Telefons – sogar seiner Krawatte, seines Gürtels und seiner Schuhe. Eines nach dem anderen wurde ihm alles zurückgegeben und in einer Liste abgehakt.

»Was geht hier vor?«, fragte Lee, wobei er immer noch einen Anflug von Autorität in seiner Stimme wahrte.

»Es gab einen Angriff auf den Premierminister«, antwortete der Agent. »Und auf Miss Bennett. Sie will, dass Sie freigelassen werden.«

»Also ist der Angriff fehlgeschlagen?«

»Unglücklicherweise für Sie – ja.«

Lee band rasch seine Schnürsenkel, ohne sich seine Eile, aus der Polizeistation herauszukommen, allzu sehr anmerken zu lassen. »Coates will mich also zurück«, sagte er stolz.

»Nicht Coates«, erklärte der Agent. »Miss Bennett.«

Lee ließ seine Schnürsenkel los und richtete sich abrupt auf. Er war mindestens einen Kopf größer als der *NJ7*-Agent und starrte auf den Mann herab. »Ich will nicht«, verkündete Lee. »Bringen Sie mich zurück in meine Zelle.«

»Ich glaube nicht, dass Sie eine Wahl haben«, antwortete der Agent, ohne ihn anzusehen.

Lee überlegte lange und gründlich. Schließlich nahm er seine Krawatte und fing an, sie zu binden. »Ist den beiden etwas zugestoßen?«, fragte er. Er musste so viele Informationen wie möglich von diesem Agenten bekommen, bevor er die Höhle des Löwen betrat.

»Nichts Ernstes«, antwortete der Agent und spähte durch die Jalousien hinaus auf die dunkle Straße. »Miss Bennett und der Premierminister wurden routinemäßig medizinisch untersucht. Sie werden wohl wegen leichter Verbrennungen behandelt. Nichts weiter Schlimmes. Es gab eine kleine Explosion im Krankenhaus.« Er hielt inne und strich sich übers Kinn, als ob er darüber nachdachte, was dabei alles hätte passieren können. »Oh, und das Mädchen war auch dabei.«

»Mädchen?«, sagte Lee. »Sie meinen Eva?«

»Richtig. Auch sie erlitt Verbrennungen. Aber auch nichts Ernsthaftes. Sie sollen sich um 7 Uhr bei ihr melden.«

»Bei Eva?« Lee riss dem diensthabenden Polizisten seine Brieftasche aus den Händen und stopfte sie in seine Jackentasche. »Sie meinen wohl eher, ich soll mich bei Miss Bennett melden?«

Der Agent schüttelte den Kopf. »Eva Doren«, bestätigte er, ohne Lee eines Blickes zu würdigen. »Sie wird Sie morgen früh informieren. Sie arbeiten jetzt für sie.«

Der Agent wandte sich ab, und Lee war sich sicher, dass er damit sein Grinsen verbergen wollte. Dann unterschrieb der Agent ein Dokument auf dem Schreibtisch des diensthabenden Polizisten und führte Lee aus dem Gebäude.

»Steigen Sie ins Auto«, befahl er und zeigte auf das wartende *NJ7*-Fahrzeug.

Lee blieb wie angewurzelt stehen. »Sprechen Sie Ihren Vorgesetzen gefälligst mit Sir an«, knurrte er.

Der Agent schwang sich lässig auf den Fahrersitz, startete den Motor und ließ das Fenster herunter. Jetzt, zum ersten Mal, warf er Lee einen kalten Blick zu. »Steigen Sie ins Auto«, wiederholte er.

Lee spürte die Kälte der Luft bis in die Knochen. Er stieg in den Wagen, wobei er seine Knie fast bis zur Brust anziehen musste, um hineinzupassen.

Von nun an schwiegen die beiden Männer. Lee ließ die Straßen von Central London an sich vorbeirauschen, bevor er die Augen schloss und sich in die Nasenspitze kniff, um seine extreme Müdigkeit zu bekämpfen. Er fühlte Übelkeit in sich aufsteigen und sein Verstand raste. Nach einer Minute zog er sein Handy heraus. Er hatte mehrere Nachrichten, aber er ignorierte sie. Seine Gedanken waren woanders.

Zuerst langsam, dann immer schneller, fuhr er mit dem Daumen über die Tasten und schrieb eine SMS. Als er fertig war, las er sie mehrmals durch, tippte endlich eine Telefonnummer ein und drückte auf *Senden*. Er beobachtete das Display, bis *Nachricht gesendet* aufleuchtete, dann schloss er seine Augen wieder und ließ den Kopf gegen das Leder sinken.

Er schlief ein, während der Text seiner SMS weiter in seinem Kopf kreiste: *Wie wechselt ein unerwünschter Spieler das Team? Antworten Sie diskret.*

Jimmy Coates ließ sich erschöpft vor der Zugtoilette niedersinken. Seine Sinne ließen den Schmerz nun wieder bewusst zu. Sein ganzer Körper zuckte und krampfte. Der einzige Trost war, dass der nächste Bahnhof bereits London Bridge war.

Nur ein paar Minuten später fuhr der Zug ein und Jimmy taumelte auf die Plattform. Sein Verstand war völlig benommen. Seine Qualen schienen sich mit jedem Schritt zu verstärken, als ob sein Körper keine Entspannung zulassen wollte. Er blickte reflexartig über die Schulter, um die Gesichter der ausgestiegenen Mitreisenden zu scannen, sowie aller anderen, die auf dem Bahnsteig warteten. *Hat mich jemand verfolgt?*, fragte er sich selbst.

Er durfte seine Tarnung nicht aufgeben. Aber als er durch den Bahnhof humpelte, war er überrascht, wie das Leben in London weiterzugehen schien, als wäre in dieser Nacht nichts passiert. Nirgendwo *NJ7*-Agenten. Niemand schoss auf ihn. Niemand stürzte sich aus dem Hinterhalt auf ihn.

Jimmy blieb in der Mitte der Haupthalle stehen. Keiner schien ihn zu bemerken. Wenn sie ihn denn überhaupt je richtig wahrgenommen hatten. Offenbar hatten die Menschen alles wieder vergessen, abgelenkt durch die neuen Nachrichten von einer Wahl, oder was sonst in ihrem Leben vor sich ging.

»Wartest du auf einen Zug?«, ertönte die Stimme eines Mädchens hinter ihm.

Jimmy wurde aus seinen Gedanken gerissen und drehte sich um.

Und da stand seine Schwester – Georgie.

Jimmy bekam kaum mehr Luft, als seine Schwester ihn sofort in eine feste Umarmung zog.

»Wie hast du –?«, keuchte Jimmy. Er war so verblüfft, dass er ihre Umarmung zunächst gar nicht erwiderte.

»Chris hat sein eigenes Überwachungssystem für den Bahnhof«, antwortete Georgie. »Du wirst es lieben. Er hat in den Gewölben unter den Brücken eine Operationsbasis errichtet. Los, komm – wir haben schon auf dich gewartet.« Sie ließ Jimmy los und marschierte auf eine der Plattformen zu.

Jimmy folgte ihr, immer noch völlig fassungslos.

»Er ist da«, flüsterte Georgie in ein Handy. Dann schaltete sie es sofort wieder aus und schob es zurück in ihre Tasche.

Jimmy erinnerte sich plötzlich an sein eigenes Telefon. Er strich über seine Taschen, aber vergeblich. Er musste es im Krankenhaus verloren haben, als Mitchell ihn zum ersten Mal angegriffen hatte.

»Georgie«, sagte er. »Mein Handy …«

»Vergiss es«, sagte Georgie, packte seinen Arm und zog ihn mit sich. »Du könntest es sowieso nicht benutzen. Wir müssen alle paar Stunden das Telefon wechseln. Du kriegst den Dreh raus. Chris hat alles organisiert.«

Jimmy stand immer noch unter Schock, aber schließlich machte sich doch ein Lächeln auf seinen Lippen breit. »Endlich wird es wieder eine –«

»Ich weiß«, unterbrach ihn Georgie. »Es wird eine Wahl geben. Chris ist total aus dem Häuschen deswegen. Und jetzt beweg dich. Der *NJ7* wird sich in Kürze wieder gut organisiert haben. Wir wollen schließlich nicht getötet werden, bevor wir die Wahl gewonnen haben, oder?«

Da entdeckte Jimmy die anderen: Durch die Halle eilten Christopher Viggo, Saffron Walden, seine Mutter und Felix auf ihn zu. Gleich darauf war Jimmy von allen umringt, und er fühlte sich völlig überfordert, weil sie alle gleichzeitig auf ihn einredeten.

»Gut gemacht, Jimmy«, sagte Viggo.

Saffron strahlte ihn an.

Jimmys Mutter sagte etwas, aber wegen ihrer festen Umarmung verstand er kein Wort. Für einen Augenblick wirkten sie wie eine ganz gewöhnliche Familie oder eine Gruppe von Freunden, wie sie sich jeden Tag auf dem Bahnhof trafen. Und für ein paar Sekunden fühlte Jimmy ein ganz normales Leben in greifbarer Nähe.

Als sie weitergingen, wurden ihre Mienen wieder ernst. Es bereitete Jimmy ein gutes Gefühl, Freunde um sich herum zu spüren, aber er wusste, dass sie alle das Gleiche dachten: Nun würde der Kampf um die Führung des Landes erst so richtig beginnen.

»Mann, du siehst echt endfertig aus«, verkündete Felix fröhlich und boxte leicht gegen Jimmys Schulter.

Jimmy lächelte bemüht. »Ich fühle mich super«, log er und schob seine blau verfärbten Finger in die Hosentaschen.

JOE CRAIG

AGENT GEGEN DEN REST DER WELT

– VORAB-LESEPROBE –

DIE KÖRPER

Vier Kilometer unter der Erde, von massivem Beton umgeben, stand einer der sieben Supercomputer der britischen Regierung. Er war kurz davor, gehackt zu werden. Niemand auf der Menwith Hill Royal Air Force Basis in North Yorkshire, unter der sich der Computer befand, ahnte etwas von der Attacke. Als im Inneren des Rechners ein Schadprogramm flackernd zum Leben erwachte, war die Schlacht in kürzester Zeit verloren.

Der Computerwurm fraß sich durch das System, eine rasend schnelle Folge winziger elektrischer Impulse. Sie waren kaum wahrnehmbar, und sie wären ihm Grunde ohne größere Auswirkung geblieben, wäre nicht im selben Moment, Hunderte Kilometer nördlich und elf Kilometer über der Erde, ein *Aurora-Blackbird-SR-91*-Aufklärungsjet in den britischen Luftraum eingedrungen.

Beide Ereignisse waren perfekt miteinander koordiniert. Der Wurm schlängelte sich wie vorgesehen durch das Computernetzwerk, schuf eine winzige Lücke im britischen Satellitenüberwachungssystem, durch die der Aurora Blackbird wie eine schlanke Fechterklinge stieß. Der punktgenaue Überwachungsausfall machte das Flugzeug praktisch unsichtbar. Es war hoch genug und schnell genug, um den herkömmlichen, bodengebundenen Radarsystemen zu entgehen, seine schwarze Neopren-Titan-Beschichtung schluckte jedes Licht, der Treibstoff auf Cäsium-Basis machte die Abgase absolut transparent.

In kürzester Zeit überquerte das Flugzeug die Inseln im Norden Schottlands und erreichte das Festland. Es flog noch mit 1.900 Stundenkilometern, als sich die Klappen im Boden öffneten. Zwei schwarze Leichensäcke fielen aus dem Bauch des Flugzeugs. Dann machte es sofort kehrt, um den britischen Luftraum ebenso unbemerkt wieder zu verlassen.

Die Pakete taumelten durch die Atmosphäre. Sie erreichten ihre Endgeschwindigkeit, noch bevor sie durch die Wolkendecke stürzten. Der Wind peitschte auf das beschichtete Material ein, sodass sich die Konturen der Körper im Inneren abzeichneten.

Nach einigen Sekunden entfalteten sich automatisch zwei schwarze Fallschirme und bremsten den Sturz. Die Leichensäcke schwebten durch die Luft und landeten schließlich auf einem Stück Heide, sechzehn Kilometer von der nächsten Straße entfernt. Dort lagen sie fast zwei Stunden lang, zehn Meter voneinander entfernt, bewegungslos, bis auf das Flattern des Stoffes im Wind.

Dann begannen sich beide Säcke gleichzeitig zu bewegen. Sie drehten sich, bis ihre Reißverschlüsse nach oben zeigten. Bei einem normalen Leichensack wären die Reißverschlüsse nur von außen zugänglich gewesen. Aber diese waren anders.

Beide Säcke öffneten sich und zwei Personen kletterten heraus. Sie richteten sich schwankend auf – ein Mann und eine Frau, beide groß und mit schwarzen Overalls bekleidet. In der Dunkelheit warfen sie sich einen stummen Blick zu. Dann dehnten und streckten sie sich. Der Mann blinzelte und bewegte rasch den Kopf, um die Benommenheit abzuschütteln, dabei flogen ihm seine strähnigen schwarzen Haare um den Kopf. Die Frau folgte seinem Beispiel, dann rafften beide ihre Fallschirme zusammen, stopften die schwarze Seide in die schützenden Leichensäcke.

Der Mann zog eine Streichholzschachtel und zwei hart gekochte Eier aus seiner Tasche. In Sekundenschnelle standen die Fallschirme und Leichensäcke in Flammen und erleuchteten den Hügel. Die beiden warteten schweigend und dämmten das Feuer mit einem Ring aus feuchtem Heidekraut ein, während sie vorsichtig die Eier schälten und verzehrten. Bald darauf traten sie die Glut aus, hinterließen keine Spur der Ausrüstung, die ihnen diesen krassen Sprung aus höchster Höhe ermöglicht hatte.

Immer noch schweigend zog die Frau einen Kompass hervor. Dann marschierten die beiden Gestalten Richtung Süden.

Weiter geht es mit Jimmy Coates'
siebtem Abenteuer im September 2019 in:
J. C. – Agent gegen den Rest der Welt

© privat

Joe Craig, geboren 1981 in London, arbeitete als erfolgreicher Songwriter, bevor er seine Leidenschaft für das Schreiben von Jugendbüchern entdeckte. Mit »J. C. – Agent im Fadenkreuz« schaffte er den internationalen Durchbruch. Wenn er nicht schreibt, liest er an Schulen, spielt Klavier, erfindet Snacks, spielt Snooker, trainiert Kampfsport oder seine Haustiere. Er lebt mit seiner Frau, Hund und Zwergkrokodil in London.

Von Joe Craig bereits erschienen:

J. C. – Agent im Fadenkreuz (Band 1; 17393)
J. C. – Agent auf der Flucht (Band 2; 17394)
J. C. – Agent in höchster Gefahr (Band 3; 17461)
J. C. – Agent in geheimer Mission (Band 4; 16507)
J. C. – Agent unter Beschuss (Band 5; 16521)